D1105939

DU MÊME AUTEUR

Éditions du Seuil

MOI D'ABORD
roman, 1979

LA BARBARE
roman, 1981

SCARLETT, SI POSSIBLE
roman, 1985

LES HOMMES CRUELS NE COURENT PAS LES RUES
roman, 1990

VU DE L'EXTÉRIEUR
roman, 1993

UNE SI BELLE IMAGE, JACKIE KENNEDY
1994

Éditions Fayard

ENCORE UNE DANSE
roman, 1998

Katherine Pancol

J'étais là avant

ROMAN

Albin Michel

IL A ÉTÉ TIRÉ DE CET OUVRAGE
TRENTE EXEMPLAIRES
SUR VÉLIN BOUFFANT DES PAPETERIES SALZER
DONT VINGT EXEMPLAIRES NUMÉROTÉS DE 1 À 20
ET DIX HORS COMMERCE NUMÉROTÉS DE I À X

© Éditions Albin Michel S.A., 1999
22, rue Huyghens, 75014 Paris

ISBN broché : 2-226-10819-X
ISBN luxe : 2-226-10889-0

Je n'arrive pas à aimer les hommes.

Oh ! J'arrive à les séduire, à les circonvenir, à me jeter contre eux, à les caresser, à leur offrir le plus profond de mon corps, mais je ne les aime pas. Je ne leur donne jamais accès à une once de mon intimité. Par intimité, j'entends tout ce qui est moi, secret, verrouillé, interdit. Je ne comprends pas mon corps. Je suis plutôt généreuse avec lui. Je l'offre facilement.

Les hommes... Je les prends quand l'envie de me fondre dans un autre corps, dans d'autres mots, dans d'autres projets, est trop forte, quand le besoin de deux bras autour de moi est impérieux, qu'il gèle dans mes rêves et mes entrailles. Je m'élance vers eux, m'accroche à leur bras, leur promets mille félicités, mille bonheurs domestiques ou exotiques... pour m'éloigner sans me retourner dès que je suis rassasiée.

Je leur donne tout pour tout reprendre aussitôt. Je m'ouvre les veines pour les convaincre de ma sincérité et n'attends même pas d'avoir cicatrisé pour les rejeter. Je répète à satiété que je n'ai pas besoin d'eux pour vivre et que je suis très bien comme ça. Seule. Sans homme. Ce n'est pas vrai : l'homme est un ennemi dont je ne peux me passer.

Ils sont partout, les hommes. Ils prennent toute la place. A la télé, par exemple, vous ne voyez qu'eux. Au journal télévisé, aux séances de l'Assemblée, aux émissions sérieuses. En costume-cravate, ils plastronnent, expliquent et refont un monde qu'ils s'échinent à dévaster, à mettre en coupe pour mieux l'exploiter. Parfois, au milieu d'eux, surgit une femme plantée là comme un géranium. Au balcon. Un alibi fleuri qui dit non, qui dit oui. Qu'ils écoutent à peine. Ou qu'ils s'approprient, la travestissant en homme.

Les femmes, la plupart du temps, servent à vendre des crèmes épilatoires, des parfums, des airbags, des purées en flocons, des lessives en paillettes ou, au mieux, à débiter des informations toutes faites avec de belles lèvres gonflées et un plongeant décolleté. Dressées pour sourire, se prosterner, se répandre comme des pâtes molles sur le sol ou reproduire des petits d'humains identiques aux modèles proposés. On les soulève d'un doigt, on s'en pourlèche les babines, on les soupèse telles des marchandises. On siffle devant leur châssis impeccable et leurs pistons bien huilés. Quand elles sont belles et offertes, parce que, sinon, on les repousse du pied, on s'en sert à la va-vite, on les ridiculise, on les traite de boudins, de bonnes grosses, de mal-baisées. Les hommes font claquer leurs lèvres sur les chopes de bière et s'essuient la bouche en rigolant, en les regardant onduler du fessier sous leurs petites robes d'été. Murmurent entre eux « celle-là, elle est bonne » en allumant leurs yeux d'une lueur salace ou les traitent de salope et de connasse au feu rouge.

Pas tous les hommes, je sais. Certains sont doux et attentifs, patients et généreux.

Mais...

Je n'arrive pas à aimer les hommes.

J'ai fait des progrès, avant je n'aimais pas les gens.

Personne ne trouvait grâce à mes yeux. Le malheur des autres me laissait le cœur sec et froid. La mort de mon grand-père ? J'avais onze ans. J'ai vu ma mère pleurer et s'habiller de noir mais j'avais beau chercher au fond de moi : pas une seule larme à faire jaillir pour me mettre au diapason de la grande douleur qui semblait ravager la famille. Il était parti et alors ? Ça n'allait pas changer ma vie. Il ne m'avait jamais regardée, jamais embrassée, jamais prise sur ses genoux, jamais expliqué le théorème de Pythagore ou les sonnets de Shakespeare. Il fallait se taire et écouter les cours de la Bourse à midi ou se taire et l'entendre débiter des théories sur l'état du monde. Ma grand-mère ? Rien senti non plus. Pourtant, il me semblait l'aimer, elle. Elle était douce, elle me faisait rire, elle m'apprenait à tricher aux cartes et m'a donné le goût de la tarte aux pommes fondante et de la blanquette de veau. Mais quand elle est morte, je n'ai pas versé une larme.

Ni pour tante Flavie, ni pour oncle Antoine, ni pour Augustin, ni pour Cécile...

Longtemps, j'ai vécu comme ça : verrouillée, intriguée par ce large fleuve d'amour qui semblait inonder la société mais ne m'irriguait pas, moi. Pourtant, cela semblait formidable, l'amour : on en faisait des films, des livres, des histoires dans les journaux, des baptêmes, des anniversaires, des fêtes de la Saint-Valentin, des paquets, des étrennes, des bébés, des drames et des mystères.

Je regardais tout cela, curieuse, mais froide. Je taisais cette infirmité, me traitais de monstre, me forçais à éprouver quelque chose qui ressemblât à du sentiment, à une émotion, m'obligeais à exhumer un souvenir douloureux pour rejoindre le club des pleureurs et des pleureuses, des amoureux et des amoureuses, et quand il m'arrivait de faire tomber une larme bien salée, bien ronde, bien pleine, quand, enfin, j'avais trouvé matière à m'émouvoir, à sangloter et que je lâchais les larmes qui m'étouffaient, je n'en revenais pas : je pleurais sur moi. Seule ma petite personne m'inspirait un chagrin irrésistible et incontinent. Je ne pouvais plus m'arrêter. Une douleur ancienne se mettait en branle sans que je puisse la maîtriser. Alors je me cachais, honteuse, et feignais de compatir à la douleur ou de participer au bonheur des autres. J'appris très vite à faire semblant et personne ne devina l'étendue de mon insensibilité.

Mon père, ma mère, mes frères et mes sœurs, mes oncles et mes tantes, mes cousins, mes cousines, mes grand-mères et mes grands-pères rejoignaient le cimetière de mon indifférence.

Un seul me concernait vraiment : mon frère, mon petit frère, de deux ans mon cadet. Pour lui, j'aurais traversé les océans, asséché les mers, appris à faire du rappel sur une coquille de noix, piétiné des incendies, massacré les grandes personnes qui le maltraitaient, tiré la sonnette d'alarme d'un train lancé à toute vitesse, offert mon corps nubile aux carnassiers qui le menaçaient. Quand je voyais un nuage de tristesse traverser son regard étonné, je prenais la position allongée du guetteur embusqué dans la savane pour abattre le responsable de cette ignominie. J'avais le cœur qui se tordait, donc j'avais un cœur.

Je ne lui disais jamais que je l'aimais. Je le pinçais, lui savonnais les cheveux, collais des chewing-gums dans son cartable, saupoudrais son melon de poivre vert, lui faisais des queues de poisson en bicyclette, trouvais tous les moyens de me rapprocher de lui sans que jamais il ne puisse soupçonner ma tendresse. Et il agissait de même. On se tenait à distance, les bras le long du corps dans les moments de pire désarroi, quitte à ce que, dès qu'il avait tourné le dos, je sorte mon escopette et abatte le coupable d'un regard noir et meurtrier. S'il grelottait de fièvre et que nos parents

11

étaient sortis se disputer ailleurs, je montais la garde. S'il tremblait de ne pas retenir sa leçon du lendemain, je la lui récitais dans la nuit pour qu'il l'apprenne durant son sommeil. S'il voulait faire voler son avion en Meccano sous la pluie battante, je l'accompagnais, stoïque, et applaudissais quand il décollait. Il était mon petit, mon protégé, mon amour, le seul qui ne me faisait pas peur et que je pouvais aimer. En cachette. Ça m'arrangeait bien. Je ne savais pas ouvrir les bras pour recevoir de l'amour.

Quand il me disait que j'étais moche à faire déguerpir un hibou ou que mes seins ressemblaient à des omoplates de serin, j'étais si triste que je devais m'asseoir, assommée, pour reprendre mon souffle. J'évitais les garçons et les miroirs, et me repliais dans une allure de garçon manqué. Quand il lui arrivait, événement extraordinaire, de me lâcher une gracieuseté, je bombais le torse et me prenais pour Brigitte Bardot. Je comprenais alors tout le bien-être que l'amour pouvait procurer et regrettais de ne pas profiter davantage de cette fête gratuite que je rêvais permanente.

Mais c'était comme ça...

Papa était parti, maman s'échinait à gagner des sous et avait d'autres choses à faire que de nous aimer, nous câliner, nous donner de bonnes raisons de bomber le torse. Je ne me demandais jamais pourquoi : c'était comme ça. L'amour venait après tout : après le loyer, les impôts, les factures d'électricité, la surveillance de la cantine, la fatigue du matin, l'énervement du soir, les trajets en métro, les heures supplémentaires qu'elle additionnait pour qu'on porte un appareil dentaire, qu'on aille en Angleterre et qu'on prenne des leçons de piano. On lui devait tout, on n'allait pas, en plus, lui demander de l'amour. C'était du superflu. Une occupation pour ceux qui en avaient les moyens ou le temps. Les oisifs et les riches.

Elle était débordée, fauchée et seule. Pas un homme pour la protéger et un vaurien de mari qui avait mis les voiles. Lui avait gâché ses plus belles années. L'avait plantée là avec quatre gosses à élever. Tu parles d'un cadeau ! Les hommes sont des lâches, le mariage une loterie, l'amour une fièvre de jeune fille qui me passera avant que ça te prenne, ma fille ! Ne fais jamais confiance à un homme ou tu le paieras toute ta vie. Toute ma vie, je vais devoir payer pour lui, pour cette illusion de jeunesse qui n'a duré que le temps d'une ivresse.

Elle était intarissable sur le sujet. Débit-crédit, débit-crédit, les chiffres s'alignaient et menaçaient. La dette amoureuse me paraissait exorbitante.

De ces mots, bientôt, je ne retins que la musique, la haine qui martelait tous ses propos d'une cadence sourde et envahissante. J'apprenais une violence que je n'avais pas voulue. Je me nourrissais à ce lait aigre et abondant. Je l'aimais, j'étais perdue sans elle, je désirais plus que tout lui plaire et lui être fidèle. Je me rangeai sans le savoir à ses côtés et devins sa championne dans le tournoi de l'amour. Je portai ses couleurs et me hérissai de noir. On allait voir ce qu'on allait voir.

Il ne bouge pas. Immense et sombre. Tout de pierre vêtu. Il repose contre moi, un bras autour de ma taille. Il ne se jette pas contre mon corps. Il le tient entre ses mains immobiles. Il bâillonne son sexe, affame le mien. D'emblée, il revendique un autre territoire que celui du plaisir évident. Il écrit une autre histoire. Il voudrait savoir si je vais l'écrire avec lui.

— Tu as peur ? demande-t-il dans le noir de la chambre. Dans le noir de ma chambre.

Peur : phénomène psychologique à caractère affectif marqué, qui accompagne la prise de conscience d'un danger réel ou imaginé, d'une menace.

Ce n'est pas moi qui le dis, c'est le Petit Robert. Tous les mots sont justes. Phénomène, psychologique, à caractère affectif, danger réel ou imaginé, menace.

Je n'ai jamais peur, au début. Je serais même du genre you-ou-Rintintin. J'ouvre des mâchoires de carnivore et m'élance. Je dévore l'objet de mon désir. C'est toujours ma première proie. Odeur de peaux frottées, étincelles de bras, de membres carnassiers,

14

poils hérissés, souffles rauques crachant dans l'oreille de l'autre des mots de feu. Mon corps s'ouvre, s'offre. Jette des défis. Tous les coups sont permis. Il n'a jamais peur. Il n'a pas de mémoire. Il ne se dit pas j'ai déjà fait ça cent fois, à quoi bon ? Ou c'est stupide, c'est ridicule, reprenons-nous, ayons l'air de... Il n'a pas d'air. Il y va fièrement, bravement, hurle, se tord, affronte, dessine de furieuses arabesques, invente, explore. Explose. Si généreux, si oublieux du qu'en-dira-t-on. Il se régale et se dépense, sans s'économiser. Il a de l'appétit.

C'est après que la peur se profile. Quand il s'agit d'entrebâiller son âme, de laisser pénétrer un étranger dans son intimité. C'est l'heure des échanges, on abandonne un bout de son territoire pour que l'autre y pose sa brosse à dents ou ses incertitudes.

Alors je sens l'ennemi rôder, s'approcher, renifler mon bonheur tout neuf et chercher la faille où s'engouffrer pour frapper. Jadis, il frappait avant que je n'aie eu le temps de le repérer. Il me prenait par surprise, me laissait interloquée. Maintenant je l'entends avancer à pas de loup. Tout doux, tout doux. Il m'amadoue. Aie confiance, aie confiance. Je ne te veux pas de mal, juste le regarder, le soupeser, ce nouvel homme de ta vie. Te prêter mes yeux, que tu ne t'embarques pas à la légère. Je sais, je sais, tu le trouves parfait, tu l'habilles de toutes les qualités. Mais... regarde-le bien. Tu ne vois rien ? Pourtant, ça crève les yeux.

L'ennemi pointe des détails, des riens du tout, tente de crever la montgolfière tissée par mes soins. Je hausse les épaules et résiste. L'amour ne s'arrête pas aux détails. Aimer, c'est prendre l'autre dans sa totalité. Personne n'est parfait. C'est une belle définition, il répond, madré, mais tu n'y es jamais arrivée. Il doit y avoir une raison... Peut-être que ça n'existe pas ? Ou que ce n'est pas le bon, celui-là ? Ce n'est peut-être pas un homme pour toi. Satisfait : il a lancé sa fléchette empoisonnée. Parfois, il repart. Il reviendra plus tard. Nous sommes de vieux copains, lui et moi. Pas de manières entre nous.

Il n'a pas toujours tort...

Il repart mais il a laissé sa fléchette. Le poison se dilue dans mon sang, aiguise mon regard, affine l'ouïe, l'odorat, le toucher. Tous mes sens s'affolent. Pourquoi il se tient comme ça, celui-là ? Il a de petites mains, il sifflote en marchant, il habite Vesoul, il me tient par le cou, il transpire... J'ai la peau qui se hérisse, les babines qui se retroussent. Je me bouche les yeux, les oreilles, le nez. Je résiste. Je résiste. Je bande toutes mes forces. Toute mon énergie est dans la résistance au danger qui menace, dans les verrous que j'ai tirés pour que l'ennemi ne pénètre pas. Je campe à l'extérieur de mon corps pour le chasser. Je bivouaque jour et nuit. A l'affût. Tendue, les nerfs à vif. Et quand l'homme pose une main sur moi, je sursaute et je crie. Ne me touche pas, tu ne vois pas que je suis occupée. Je ne dois pas me laisser distraire.

J'ai besoin de toutes mes forces de guerrière. S'il insiste et demande pourquoi, pourquoi, me poursuit de douces attentions, ou se rembrunit, il devient à son tour un ennemi. A terrasser vite fait. Je ne peux pas lutter contre deux ennemis à la fois. Je préfère encore l'ancien. Lui, au moins, je le connais. J'ai du respect pour sa persévérance. De l'affection pour sa cruauté. Alors toi qui gémis à mes côtés parce que soudain tu ne comprends plus, dégage.

Dégage...

Ça finit toujours comme ça.

— J'ai peur de moi, je réponds dans le noir de la chambre. Dans le noir de ma chambre.

J'ai peur de cette cinglée qui refuse qu'on pénètre dans son intimité. Qui veut bien donner son corps mais pas le moindre bout d'âme. Ce n'est plus une affaire aujourd'hui de donner son corps de femme. L'offrande du corps a remplacé les œillades de nos grand-mères.

C'est après que cela se gâte.

Quand il ne s'agit plus d'ouvrir son corps mais de faire de la place à l'autre dans le secret de soi-même. Poser son regard sur lui, le voir pour de vrai et donner. Donner de l'amour. En recevoir. Donner, recevoir, donner, recevoir, un va-et-vient autrement plus périlleux que l'acte de chair.

L'intimité est un champ de mines bien gardé où je ne laisse plus grand monde s'aventurer.

17

Je me souviens : la première fois que je t'ai rencontré, je ne t'ai pas vu...

Je ne t'ai pas vu.

Tu étais là, pourtant. Je t'ai serré la main, je t'ai dit « bonjour » très gentiment sans doute, avec mon grand sourire, celui que j'ai quand je fais connaissance, un sourire en préfabriqué, une forme de politesse anonyme. Un laissez-passer pour que passent les gens et qu'ils me laissent dans mon indifférence. *Nice to meet you* et du balai.

Et après...

Après il y avait plein de gens autour de nous. Entre nous.

J'ai senti une présence. Loin. Dans la pièce remplie de gens qui parlaient, parlaient, remplissaient le vide avec application. Moi aussi je parlais, et je n'aimais pas les mots qui sortaient de ma bouche. Je me suis demandé : pourquoi je dis tout ça ? Ils viennent d'où, ces mots-là ? Ils n'étaient pas à moi, ils me collaient un masque grimaçant de transparence idiote. Une grande blonde qui essaie de remettre tout en place, de contrôler l'incontrôlable, de donner une apparence lisse, jolie, rassurante. Voilà ce que j'entendais de moi.

Ce que tu entendais de moi... Toi, assis un peu plus loin, habillé de noir. Immense silhouette tassée sur une chaise comme une statue récalcitrante. Tout de pierre vêtu. Je te distinguais à peine, en une sorte

18

de vision oblique, tu n'étais pas encore entré dans mon champ de vision. Petite image renversée dans mes bâtonnets optiques. Toute petite, toute petite mais présente, même si je ne le savais pas.

On est responsable de ces mots-là. Il ne faut pas se plaindre, après, de les avoir prononcés. On est responsable de ses mots. Il faut apprendre à être vigilant. C'est de ta bouche que sortent ces mots ennemis, ces mots qui te défigurent. Ne reproche rien aux mots. Ils sont là parce que tu les as laissés être là et, petit à petit, ils prennent toute la place. Je vais te dire, ils prennent même ta place et parlent en ton nom...

Je ne te voyais toujours pas. J'étais toute seule avec mes mots qui sonnaient faux, je parlais à l'une, je parlais à l'autre. A un autre qui louchait sur la blonde si lisse, se rapprochait, demandait une adresse, un détail intime pour s'emparer de l'image et la faire sienne. Une adresse ? Un numéro de téléphone ? Un rendez-vous ? On était là pour ça, après tout. Pour se rencontrer. Se réunir. Toucher la peau de l'autre. Poser ses grosses lèvres sur la bouche de la blonde qui s'est maquillée, préparée.

La prendre dans ses bras, la coucher dans son lit, peut-être. La pénétrer.

Tu as bondi.

Du fond de la pièce.

Tu as quitté ta chaise, ton attitude de monument historique. Tu es venu te placer près de moi et, de ta voix grave et péremptoire, tu as répondu, sans même me regarder, que je n'avais pas d'adresse, pas de numéro de téléphone, que j'allais déménager, que, si ce type voulait me joindre, il avait plutôt intérêt à laisser un message chez toi. Tu ferais suivre. L'homme aux grosses lèvres t'a regardé, décontenancé. Il n'a rien osé dire. Son regard a glissé ailleurs dans la pièce, vers une autre blonde à convoiter. Et il est parti.

Tu es resté là, planté près de moi. Sans me regarder.

— Il ne faut pas donner votre adresse à n'importe qui. Vous alliez la donner, n'est-ce pas ? Votre adresse à n'importe qui...

J'ai dit oui, sans doute. Heureuse d'avoir été choisie. Regardée. Même si c'était par n'importe qui. Et j'ai eu honte soudain. Honte de ne pas être plus exigeante. Honte d'être si seule et de ne plus supporter la solitude. De vouloir la brader contre la compagnie de n'importe qui.

— Même si... j'ai dit tout haut.

— Même si quoi ? tu as demandé avec cette insistance brutale que tu mets dans ta voix quand tu ne veux pas accepter le banal, le prêt-à-aimer.

Il y avait tellement de violence dans le son de ta voix que j'ai relevé la tête. Et je t'ai vu.

Je t'ai vu. Ou plutôt j'ai vu ce qui se dégageait de toi pour venir vers moi. Une onde chaude et puissante. Je n'ai pas détaillé tes traits, tes cheveux, ta silhouette, je n'aurais pas su dire si tu étais mince ou fort, grand ou petit, brun ou châtain, si tes yeux étaient noirs ou bleus, ta bouche grande ou serrée, j'ai vu l'émotion subite qui partait de toi et venait vers moi. Ce fut un instant très bref. Un fluide intense passait de ton corps à mon corps, une vague de chaleur qui disait je sais qui vous êtes et vous n'avez rien à faire avec cet homme-là. S'il vous plaît, ne vous gaspillez pas. Je ferai attention à vous si vous ne le faites pas.

Tu te tenais près de moi, debout, sombre et maussade. Presque hostile. Furieux que j'aie commis ce crime contre moi, contre nous peut-être. Toute ta physionomie démentait l'intimité complice dont tu venais de témoigner en apostrophant l'homme aux grosses lèvres, en le renvoyant vers d'autres blondes.

— Vous ne savez pas ce qui se passe dans la tête des hommes. Il peut croire que vous êtes facile, disponible... tu as dit en baissant les yeux vers moi.

On s'est regardés pour la première fois.

Et j'ai été si heureuse de ce regard, lourd et propriétaire, que tout mon être a basculé vers toi. Tu avais vu quelque chose de précieux en moi et tu refusais que je l'offre au premier venu. Cette faveur, tu la réclamais. Tu te posais en prétendant même si, pour le moment, tu ne bougeais pas.

J'ai eu envie de t'empoigner, de te faire descendre du piédestal où tu te tenais. Tu étais si loin à nouveau...

Presque impatient de repartir.

21

J'ai dit n'importe quoi pour que tu ne t'éloignes pas. Que tu restes près de moi. Ce cadeau que tu m'avais fait en m'interdisant de me laisser aller à cet inconnu qui, d'après toi, d'après ce que tu supposais de moi et de lui, ne me méritait pas.

— Vous le connaissez, cet homme que vous venez de rembarrer ?

— Non. Mais j'imagine... Un notable plein de lui-même qui se croit intéressant parce qu'il gagne de l'argent et, pour se faire pardonner, passe un mois par an avec des organisations humanitaires au Zaïre ou ailleurs. Un petit marquis qui vit sa vie en cartes postales politiquement correctes. On en crève de ces gens-là... Ces gens à la mode, qui font semblant et ne ressentent rien.

Et là, je n'ai plus réfléchi. Plus réfléchi du tout. J'ai été soulevée de terre par tes propos, par la coïncidence de tes mots avec ma pensée véritable, celle que je cache derrière les mots tout faits. Je t'ai attrapé par le cou, je t'ai embrassé sur la joue. Un gros baiser sonore de reconnaissance fraternelle. Je savais maintenant pourquoi j'avais été troublée : j'avais trouvé un jumeau.

Tu as reculé comme frappé par l'éclair. Tu t'es écarté de moi. Raide. Tu t'es éloigné. Et on ne s'est plus regardés.

C'était si violent ce baiser. Si violent. Il fallait que je me reprenne. Ce geste de toi si spontané paraissait jaillir comme une évidence qui ne me semblait pas

22

encore évidente. Je n'avais pas supporté que cet homme te parle, qu'il s'approche de toi en propriétaire mais je ne m'étais encore rien formulé. C'était une irritation, une démangeaison. Chaque fois que quelqu'un s'approchait de toi, ce soir-là, homme ou femme, il m'insupportait. De quel droit on te volait ton temps, ton regard, ton attention ? Je t'avais déjà mise au-dessus de tout et je ne le savais pas...

Pendant le dîner, on était assis l'un près de l'autre mais la vague d'intimité était passée, remplacée par les lieux communs habituels. Les conversations des autres convives faisaient irruption dans la nôtre et tout se mélangeait. Et vous, qu'est-ce que vous faites dans la vie ? Ah bon... Cela vous plaît ? C'est délicieux cette choucroute au poisson, comment fait-on pour que le chou soit légèrement caramélisé mais pas cramé ? Vous avez vu *Titanic* ? Vous avez aimé ? Quel succès !

Moi, pendant le dîner, je regardais l'espace derrière ton oreille, là où les cheveux partent en arrière, découvrant une parcelle de peau, et j'avais envie de poser mes lèvres sur ce coin de peau nue. Je ne pensais qu'à ça. Je répondais mécaniquement à tes questions et, même si je me rappelle tout ce que je t'ai dit car j'ai une très bonne mémoire, je me souviens surtout de ce carré de peau que je voulais embrasser... Oh et si... Je me souviens de ton odeur. Je t'ai tout de suite respirée. Tu sentais bon, si bon...

23

Soudain, tu t'es levé. Tu as regardé ta montre et tu es parti.

Je me suis dit il a une copine, une femme dans sa vie, elle l'attend et il va la rejoindre. Ils ont rendez-vous. Il est venu pour tuer le temps avant de la retrouver. Une seconde, j'ai envié cette femme d'avoir un homme si ardent, si entier, si vrai, une seconde, j'ai regretté que cet homme-là ne soit pas pour moi, pour moi qui l'avais eu si entier, si ardent, si vrai pendant quelques instants, et puis j'ai pensé c'est la vie, c'est comme ça. Je t'ai regardé partir et je t'ai oublié.

Oublié.

Je me suis dit que c'était normal. Tu n'étais pas pour moi, et avec tous les mots idiots que j'avais prononcés ce soir-là, il était juste que tu partes sans rien me dire, sans me demander mon adresse ou mon téléphone. Je suis allée me coucher moi aussi. Seule.

Pas vraiment triste puisque je t'avais oublié.

J'avais décidé de me retirer de l'amour comme on fait ses adieux à la scène. Fatiguée de jouer toujours le même rôle. Seuls le décor et le jeune premier changeaient. Toujours le même rôle. Tendre et innocente au prologue, meurtrière et meurtrie quand le rideau tombait. Une vraie tragédie qu'un auteur inconnu rédigeait et dont je récitais les textes en élève appliquée et forcée.

Il me semblait que je n'avais pas le choix.

J'étais comme une mule enchaînée à son joug qui tourne en rond et piétine le même sillon. Je quittais la noria, cette fête si triste où les cœurs s'épuisent.

Pourtant il m'arrivait de m'élancer, heureuse et généreuse, vers des enfants, des amies, des amis, des abandonnés de la vie, à qui j'insufflais l'air qui leur manquait pour respirer, pour revendiquer un espace de liberté. Je leur prêtais mes yeux pour se regarder, se découvrir, s'apprécier. Je n'attendais rien en échange. Stupéfaite si l'autre s'intéressait à moi en retour. Stupéfaite, incrédule, puis émue, très vite embarrassée, énervée, exaspérée même. Prête à montrer les dents si l'autre insistait et s'approchait de trop près.

Pourquoi est-il plus facile de donner de l'amour que d'en recevoir ?

Je devais le comprendre plus tard, bien plus tard.

J'avais appris à aimer, quelques élus certes, et sous conditions, mais c'était un début.

Je n'avais pas appris à aimer les hommes.

Les hommes avec un sexe d'homme pointé sur moi.

J'aimais des hommes dont le sexe ne m'intéressait pas ou qui n'étaient pas intéressés par le mien.

Les autres... C'était toujours la guerre.

Je n'étais pas la seule.

D'autres femmes en mal de confidences me versaient dans l'oreille la même histoire empoisonnée. La même ritournelle grinçante dans des bouches remplies de fiel et de ressentiment. Ils sont lâches, les hommes, égoïstes, fuyants, radins, vaniteux, ennuyeux, absents, indifférents, fatigués, toujours fatigués. Ridicules avec leur grosse auto, leur petit portable, leur grosse situation, leur petite femme, leur gros zizi, leurs petites performances. Elles entamaient une noire farandole et reprenaient en chœur, fières et revendicatrices. Nous, les femmes, on est courageuses, dures à la tâche, responsables, efficaces, rapides, sur le qui-vive, curieuses, ouvertes, aventureuses, attentives, libres. On a grandi, nous. On s'est débarrassées des corsets de nos mères et de nos grand-mères, de leurs lacets, de leurs épingles, de leurs tresses, de leurs chignons, de leurs révérences, de leurs tabliers, de leurs déshabillés, de leur main tendue en fin de mois.

Pas de leur colère, je pensais en écoutant leur sarabande, en suivant des yeux la ronde où j'avais ma place.

Elles reprenaient, enfourchant leur balai, martelant le sol de leurs godillots cloutés, crachant des crapauds, des limaces et de la bave de vipère. Ils nous transforment en infirmières, bonnes à les écouter gémir, à les rassurer, à les dorloter, à les flatter pour qu'ils repartent frais et déterminés. Ils se servent de nous mais qu'est-ce qu'ils nous offrent en échange ?

J'écoutais, je regardais...

Christina et moi sur un banc public. On attend le 43 qui ne vient pas. On étend les jambes de nos pantalons. On agite nos grosses Nike noires à bandes blanches. On se calfeutre dans nos parkas informes.

Les poings serrés dans nos poches. On regarde les hommes qui passent et ne nous voient pas.

— Je fais tout, toute seule, elle me dit. J'ai réussi à éliminer complètement l'homme dans ma vie. Je travaille, je paie mon loyer, mes impôts, je vais au cinéma seule, en vacances avec une copine, Noël en famille. Je dîne avec un plateau-repas devant la télé, je me couche, je bouquine et, pour m'endormir, je me caresse. Tranquille dans mon lit. Personne pour m'ennuyer, me demander de lui faire ci ou ça. Tranquille. Je me raconte une histoire toujours la même, mon fantasme préféré, je ferme les yeux. Après, je dors comme un bébé...

Elle baisse la tête, fixe ses pieds de pionnière libérée, les agite sous son nez comme deux marionnettes épuisées.

— Mais je crève d'être seule... J'en crève. J'ai renoncé, c'est tout. Je suis une femme sans avenir. Tu as remarqué comme c'est froid, un plateau-repas ou une télé ?

Valérie et moi. Dans un petit salon de thé, rue du Chemin-Vert. On s'est installées à une table fumeurs, on a posé nos paquets de cigarettes sur la table, les briquets. On a commandé chacune un plat différent pour pouvoir piquer dans celui de l'autre. Valérie, toute menue, ses cheveux frisés blonds, ses fossettes de rieuse, ses sourcils de pointilleuse qui cherche un sens à sa vie. Une direction, une signification, un goût véritable. Pas le sens unique que les fatigués, les résignés empruntent pour ne plus avoir à penser. Tous en rang dans une même conformité. Elle allume une cigarette, repose le briquet, aspire une grande bouffée de blonde légère. Marque une pause. Un souffle passe. Elle me ment depuis tout le temps, il faut que ça cesse. Pour que notre amitié ait un sens. Un goût de vrai. Une direction. Elle me regarde droit dans les yeux. Sans dévier le regard. Elle doit avoir le trac parce qu'elle m'observe, surveille mon corps. J'essaie de rester molle, douce, de ne pas faire d'angle avec mes bras ou mes jambes. De demeurer ouverte, disponible. Je la regarde aussi droit qu'elle, les yeux dans les yeux, en y mettant le plus d'amour possible.

— Je t'ai menti. Je ne suis pas amoureuse d'un homme mais d'une femme. Et ça fait trois ans que ça dure... J'ai lutté pourtant mais on ne peut pas lutter longtemps quand l'évidence s'impose...

Je souffle moi aussi, une grande expiration de blonde légère. Ce n'était que ça. Une histoire d'amour comme une autre. Peut-être plus compliquée que les autres puisqu'elle porte le sceau du secret. Elle a senti passer dans mon souffle la bénédiction que je lui donne, l'amour d'elle que je lui renvoie et elle me sourit. Elle peut tout me dire, tout m'avouer : je l'aimerai toujours.

Je la vois toujours seule, Valérie. Mais elle me parle de son désir de rencontrer un homme, de faire des enfants.

— Ce désir-là existe, ajoute-t-elle comme si elle lisait dans mes pensées. Et ce n'est pas simple...

Ce n'est pas simple de décliner le mot « sens » dans tous les sens.

Charlie. Elle s'appelle Charlotte mais on l'appelle Charlie. Elle range ses placards. Elle vient de déménager. Elle a rencontré un homme, un bel étranger. Elle en avait rêvé si fort qu'elle s'est jetée contre lui et l'a embrassé. Tout entier. Pendant six mois. Collés, serrés. Les avions n'arrêtaient pas de se poser pour l'emmener vers lui, pour l'emmener vers elle. Et puis soudain, ce fut la grève. La grève de son sentiment pour lui. Plus un avion dans le ciel. Et lui, cloué là-bas dans le Minnesota. Ne comprenant pas. Achetant des billets pour des long-courriers qu'il ne prendrait jamais plus. Elle range ses penderies pour mettre de l'ordre dans sa tête. Elle jette un vieux pull gris.

— Pourquoi on se précipite contre eux pour les rejeter ensuite avec la même violence ? Pourquoi ?

Anouchka. Polonaise et anglaise. Un drôle de mélange qui a échoué à Paris. Elle apprend le français et elle apprend à se connaître. Elle divise l'humanité en deux : ceux qui réfléchissent et ceux qui ne réfléchissent pas. Son homme aime les belles femmes qui mettent de belles robes. Elle déteste les robes. Elles la serrent aux entournures. Elles font d'elle une femme qui ne sait plus marcher. Un soir, pour l'honorer, pour le remercier de tout le plaisir qu'il lui donne sans compter, elle enfile une robe blanche, en maille serrée, qui marque les seins, la taille, la longueur des jambes, tout ce qu'elle aime cacher, tous ces signes qui la signent femme. Elle met du rouge à lèvres, elle ébouriffe ses cheveux. Il entre dans la chambre et s'exclame :

— Putain ! Qu'est-ce que t'es belle !

Il s'avance vers elle, de l'amour plein les yeux. Ils disent merci ses yeux, merci d'avoir mis cette belle robe de femme pour moi, cette robe de déesse ensorcelante qui aimante tout mon corps vers toi, merci, merci, merci. Il ouvre les bras, il s'avance, il veut la rouler dans son amour, l'emporter, la saupoudrer de baisers de la tête aux pieds. Elle est sa femme, il est son homme et tout va recommencer.

— Va-t'en. Ne m'approche pas. Ne me touche pas. Ne me dis pas que je suis belle. Je ne le supporte pas. Je ne suis pas belle !

Elle hurle.

Il recule, décomposé.

Elle s'effondre sur son lit, leur lit, et elle pleure. Sur elle, sur lui, sur cet amour qui lui donne envie de déguerpir.

— Pourquoi c'est si difficile de recevoir des compliments ? Pourquoi ? elle me demande, la bouche déformée en une longue plainte. Si toi, tu me disais la même chose je l'accepterais, mais pas lui, pas lui...

Pourquoi ?

C'est bien plus dur à suivre que la sarabande des

sorcières, que les formules toutes faites qui jettent l'homme dans les chaudrons et l'ébouillantent tout cru.

Mon copain Greg...

A vif. Il saigne de partout. Il se vante d'avoir trouvé un moyen pour vivre en paix avec les femmes : il ne les approche plus. Ou de loin. Deux ans qu'il n'a pas étreint de corps étranger. Deux ans ! Deux divorces, deux pensions alimentaires si énormes qu'il est obligé de tourner film sur film. Un enfant avec chaque femme. Enfants qu'il ne voit plus. Ou l'espace d'un week-end de temps en temps. Il court les magasins de jouets et les McDo. Il tente de les apprendre par cœur, passe ses doigts sur leur front, leur nez, leur bouche, les fait répéter : « Toi, mon papa, toi, mon papa » avant qu'un avocat ou une gouvernante ne les lui arrache. Il grossit, il suit des régimes, il se laisse pousser la barbe, il prend des avions dans tous les sens, il achète des gadgets qui remplissent sa chambre, écrit des scénarios qui deviennent des films. Il est connu, très connu, riche, important. A chaque film, les critiques soulignent la violence des images, des histoires, des rapports hommes-femmes, sa misogynie, sa misanthropie. Le sang gicle, les coups partent, la trahison l'emporte sur les plus belles amitiés, le carnage est inévitable, les corps des hommes et des femmes explosent en mille morceaux.

31

— Alors que je voudrais être si doux... C'est plus fort que moi, c'est tout.

Un soir, dans le hall du San Regis, à New York, il me raconte l'histoire de sa première caméra.

C'est sa mère qui la lui a offerte. En échange d'un service. Elle l'avait convaincu d'aller filmer un couple dans la chambre d'un motel. Chambre 23. Les rideaux ne seront pas tirés, ils ne prennent pas la peine de se cacher, tu les filmes, tu me rapportes la cassette. Et je t'offre la caméra. Pour toi, tout seul. Une caméra à douze ans, tu te rends compte ! Mais c'est qui ? il demande, c'est qui ces gens que je dois espionner, piéger ? T'inquiète, tu filmes et tu te tais. J'en ai besoin, moi, tu comprends, besoin ! Chambre 23 ? il demande. Oui, oui, je te dépose et je t'attends, je ferai le guet. Il me faut cette cassette, il me la faut, fais-moi confiance. D'accord, il dit, d'accord. Il l'aime plus que tout, il dort avec elle quand son père oublie de rentrer et la prend dans ses bras quand elle pleure tout bas. D'accord, j'y vais, je ne veux pas que tu pleures, que tu sois triste.

Ses jambes avalent les marches jusqu'au second étage du motel, il cale ses hanches entre deux marches de l'escalier d'incendie, la caméra pèse à son bras, la pancarte du motel branle sous son nez, il repère le 2 et le 3 rouillés au-dessus de la porte, arme la caméra, la braque sur le lit d'un geste brutal et déjà sûr. Elle avait raison, les rideaux ne sont pas fermés. Ils ne prennent pas la peine de se cacher. Qui pourrait les

voir d'ailleurs ? Il colle son œil contre le viseur, cherche le lit, les draps sont en désordre, attrape un bout
de jambe, un bout de sein, des hanches qui se
cognent. De l'homme, il ne voit que le dos qui s'arc-
boute sur la femme étalée, des bras blancs qui servent
d'appui et les doigts crispés sur les draps du lit.
Moteur ! Tout son corps frissonne. Il sait qu'il fait
quelque chose d'interdit, de dangereux, quelque chose
qu'il regrettera toute sa vie. Il veut s'arrêter, redescen-
dre les marches mais elle est là dans la voiture décapotable qui l'encourage, lui fait des grands signes de
bras. Vas-y, mais vas-y, bon sang ! Qu'est-ce que tu
attends ! Et le plaisir d'attraper ces bouts de bras, de
jambes, de dos et de ventres, ces petits bouts coupés
qui s'agitent, rougissent, se tordent et se tendent, est
le plus fort. L'œil collé à la caméra, il les suit, il entre
dans le lit. Le dos de l'homme est blanc, couvert de
poils noirs, la peau de la femme est brune. Il voit les
marques de slip mais pas de soutien-gorge. Les seins
tremblent et tombent sur les côtés. Il lui semble que
l'homme tremble aussi, se raidit, les veines de son cou
se durcissent. Les fesses de l'homme sont plates et
blanches. La bouche de l'homme dessine une longue
plainte qui tire la bouche sur le côté et celle de la
femme se retrousse en mordant l'oreiller. C'est fini.
Il filme encore. Il ne peut plus s'arrêter. Il voudrait
qu'ils se retournent pour voir leur tête après. C'est
comment, après ? On est heureux, on s'embrasse, on
souffle, on se caresse la tête ? On se lèche comme les

chiens, on s'ébroue, on repart ? Il ne sait pas. Il voudrait savoir. Il n'a jamais fait « ça ». Il sent quelque chose de dur entre ses jambes et remonte la caméra sur le visage de l'homme, sur la nuque de l'homme cassée dans le cou de la femme. Les petits cheveux collés par la sueur frisent comme les algues de la plage quand la vague se retire...

Alors l'homme se dégage. Il remonte le drap sur sa poitrine, attire la femme contre lui. Il se retourne et son visage entre dans la caméra, vient heurter l'œil derrière le viseur, le crève, le fouille, le crève encore. Le sang gicle. L'enfant est aveugle, il ne veut plus rien voir. Il gémit, la caméra glisse le long de son bras. Il pousse un juron, un terrible juron qu'il répète à s'en faire péter les cordes vocales. Il écrase la caméra contre les muscles de son ventre. Il voudrait n'avoir jamais vu ça. Jamais vu ça.

Sa bouche se remplit de salive amère et il crache sur la femme en bas.

La femme qui klaxonne, qui crie magne-toi, qu'est-ce que tu fous, dégage ! Merde ! Putain de merde ! Il va te voir !

Il crache, il pleure, il voudrait avoir les deux yeux crevés. Ne plus jamais voir.

Ne plus jamais rien voir.

Trois mois plus tard, sa mère et son père divorcent. Son petit film d'amateur a servi de preuve. Versé au dossier contre l'époux infidèle. Sa mère se remarie avec l'homme qui était son amant. Elle ne pleure plus. Elle ne dort plus jamais avec lui. Elle touche une grosse pension alimentaire et possède deux voitures décapotables.

Un car de touristes débarque dans le hall de l'hôtel San Regis. Il les regarde, de son œil bleu et doux, son œil crevé d'enfant du motel.

— On finira comme ça, toi et moi, me dit Greg, en petits vieux apaisés et mous. Sans désir. La goutte au nez, le ventre en paix... Dans un car du troisième âge...

Dans le noir de la chambre, dans le noir de ma chambre, tout contre toi, je refuse de monter dans le car de touristes du troisième âge. Je prie pour qu'on me donne une dernière chance. Pour que je me donne une dernière chance.

Avec la statue de pierre qui repose contre moi, qui lit dans mes pensées et pénètre mon intimité.

Cette fois-ci, je serai la plus forte. Je démasquerai le coupable qui m'empêche à chaque fois d'aimer, qui me coupe le vivre.

Je ne voulais pas te perdre.

Alors je t'ai prévenu...

Je t'ai tout raconté.

La première fois que l'ennemi se dressa en moi et réclama son dû de chair fraîche et amoureuse, ce fut si violent que j'en demeurai étourdie. Assommée. Comme si on m'avait culbutée de ma chaise et que je gisais par terre, les quatre fers en l'air, des bleus me noircissant le corps et le souffle coupé à m'en rendre muette. Quand je me retournai, il n'y avait personne : j'étais seule responsable de tout ce fracas. Mais je l'aurais juré, ce n'était pas moi.

J'étais encore dans l'âge du romanesque où viennent s'éteindre les derniers rêves des collégiennes. J'aimais à en mourir, l'échéance étant lointaine. J'épousais toutes les chimères de mes amoureux et me disloquais pour mieux les illustrer. Je multipliais les aventures, récitant à bride abattue les serments d'amour convenus et des promesses de vie conjugale qu'on n'exigeait pas de moi mais qui me venaient naturellement aux lèvres. J'étais si peu sûre de moi que je voulais rassurer les autres. Mes amours duraient le temps d'un été ou d'une année bissextile ; ils s'éteignaient dans des drames où je poussais de grands cris, jetais les bras au plafond pour me réveiller fraîche et neuve, prête à recommencer. Chaque nouvelle conquête me trouvait tout flamme, arborant sur un front encore boutonneux la couronne triomphante de la débutante faisant la révérence à son premier bal.

Souvent, quand il m'arrivait de le croiser après notre mésaventure, cet homme qui fut ma première victime, il m'entraînait dans un coin et me suppliait de lui expliquer les raisons de ma conduite. Je contemplais les yeux vert nuit troublés par l'inquiétude, les cils et les sourcils noirs bordant le jade sombre d'un trait frémissant, presque féminin, la bouche large et douce que j'avais connue si généreuse, le menton carré d'un homme qui fend l'adversité, je le contemplais et secouais la tête, impuissante et désolée de l'avoir fait tant souffrir.

— Je ne sais pas... Je ne comprends pas, répétais-je en tentant de verser un tardif réconfort sur ce visage énergique que le doute déchirait.

J'avançais la main pour lui donner un peu de chaleur, qu'il comprenne que je n'étais pas de celles qui tuent pour exister et consignent ensuite les noms de leurs victimes sur un petit carnet, mais il reculait, en proie à ses souvenirs douloureux.

C'était une belle prise, pourtant, cet homme-là. J'avais dû lutter pour que son regard se pose sur moi et qu'il me choisisse parmi d'autres plus rompues aux joutes de la vie et de la séduction. Plus âgé, plus savant, plus expert, il avait la délicatesse de n'en rien laisser paraître et me traitait d'égal à égale avec une tendresse attentive. Je m'épanouissais au fil des jours, au fil des nuits, apprenais à occuper mon espace, à l'explorer, à forger mes idées, à les défendre, mollets cambrés et verbe choisi, bref, je grandissais et disposais les premiers tuteurs de mon jardin intérieur, de ma liberté. Grâce à cet homme qui savait être mâle et tendre, patient et rapide, et ne m'ennuyait jamais, je m'affranchissais. J'avais, pour lui, fait de l'ordre dans ma vie et étais devenue résolument monogame.

Et puis un soir, un vendredi soir, ce bel équilibre tremblant, qui se mettait en place depuis quatre mois

environ et assurait chaque jour davantage ses fonda-
tions, s'écroula. Et cela de la plus étrange manière.

Nous devions partir en week-end avec des amis,
dans l'île de Noirmoutier. Il était convenu que je pas-
serais le chercher en voiture, et que nous rejoindrions
ses copains chez qui aurait lieu la distribution des
places dans des voitures puissantes et sûres. J'avais
mon sac sur la banquette arrière. Il aurait le sien à
son bras et m'attendrait en bas. Comme des centaines
de petits couples parisiens, nous partions nous mettre
au vert salé de la mer et je respirais déjà à pleins
poumons l'air vivifiant du grand large et les nuits poi-
vrées de Noirmoutier.

Je descendis les Champs-Elysées, amoureuse et
émue, fis le tour du rond-point, amoureuse et émue,
me remémorai, à un feu rouge, la nuit précédente où
il m'avait arraché tant de soupirs que mon corps en
tremblait de reconnaissance. Un sourire de mol abandon se dessina sur mes lèvres, je relevai la tête quand
le feu passa au vert, enclenchai la première, mis mon
clignotant. Je n'avais plus que cent mètres à parcourir
avant de le rejoindre à l'endroit convenu. Cent, qua-
tre-vingts, soixante, quarante... Mon cœur exulte, les
massifs fleuris du rond-point dessinent des arabesques
roses et mauves qui se donnent la main et gambadent,
je chantonne, on se baignera dans les vagues, on fera
de longues promenades sur les plages, on goûtera la
chair salée des pommes de terre de Noirmoutier qui
se vendent si cher sur les marchés. Il m'expliquera

comment on les cultive, combien de temps dure la saison, puis se penchera et me volera un baiser que je lui offrirai. Il est plus grand que moi et ma tête se niche à point sous son épaule. Il ne m'écrase pas, ne me tord pas la nuque. Je n'ai jamais mal quand il m'enlace ou qu'on dort encastrés. C'est à des détails comme celui-là qu'on reconnaît les gens faits pour vivre ensemble. La vérité se niche toujours dans les détails. Quatre mois qu'on se côtoie et les détails s'accumulent, petits cailloux blancs d'un bonheur trouvé. J'ai envie de klaxonner, de monter sur le toit de ma voiture, de crier ma bonne fortune. Plus que vingt mètres. J'incline le volant sur la droite, vérifie en un éclair dans le rétroviseur intérieur que mon teint est bien mat, mes lèvres bien rouges, mes cheveux bien blonds. Redresse la tête et l'aperçois...

Il est là, debout, au bord du trottoir. De son bras libre, il me fait signe. De l'autre, il tient sa valise. Une petite valise ridicule pour un bras si long. Ou alors c'est la manche de son imperméable qui est trop courte. Ou lui qui est trop petit. Un nain avec une valise de nain. Un sourire béat illumine son visage et lui dessine un masque de clown. Pourquoi sourit-il comme ça ? Et son nez ! Un appendice qui se déploie en chou-fleur violacé. Et ses cheveux ! Il aurait pu les laver. Ou les couper un peu.

Il me semble que je le vois pour la première fois. Que le voile de l'amour est tombé et qu'il m'apparaît dans sa nudité grotesque. Mille petits couteaux jaillissent de mes yeux, se plantent dans sa silhouette et épinglent mille détails saugrenus qui me font éclater d'un rire mauvais. Il devient difforme, imbécile, lourd, répugnant. Je grimace à l'idée qu'il me touche. Me recroqueville sur le volant pour être le plus loin de lui.

Il me fait signe de me garer. L'imbécile ! Il croit que je vais réussir le créneau parfait pour qu'il ait le temps de monter ? Une boule de haine éclate dans mon ventre et me coupe le souffle. J'ai envie de le planter là, de redémarrer à toute vitesse. Ne plus le voir. Ne plus le laisser m'approcher. Ne plus entendre sa voix pontifiante m'expliquer le mystère des pommes de terre et les secrets de la politique étrangère. Il est vieux, en plus. Il a bien quinze ans de plus que moi. Et cette brillance sur son col, c'est l'usure du tissu ou ce sont des pellicules ?

Il monte dans ma voiture. Fait glisser sa valise sur la banquette arrière. La cale avec précaution à côté de la mienne. Se retourne. Se frotte les mains à l'idée du bon week-end qui s'annonce, hume l'air et m'embrasse.

— Arrête !

Je me dégage en lui donnant un coup de coude.

— Ma Mine, il chuchote dans mes cheveux en y déposant un long baiser.

— Et ne m'appelle plus comme ça !

J'ai la nausée. J'ouvre grand la fenêtre et cherche une issue de secours dans le ciel limpide de Paris. Je

40

serre les dents. Regarde droit devant pour oublier qu'il est là, à mes côtés, et que nous allons devoir passer un week-end ensemble. Je voudrais ravaler ma colère, gagner du temps, mais les mots explosent dans ma bouche, propulsés par des torrents de bile, et déchiquettent celui qui est devenu mon irrémédiable ennemi, l'homme à abattre :

— Ne me touche pas ! Je ne veux pas que tu m'approches ! Je ne te supporte plus !

Et alors, au lieu de répondre à ma déclaration de guerre par un acte de violence qui mettrait sans doute fin à la mienne, au lieu d'employer les mêmes armes que moi pour terrasser l'ennemi qui l'a pris pour cible, il redouble de tendresse, engage le dialogue, tente de faire diversion. Au lieu de dégainer et de crier en garde, il refuse le duel, renvoie les témoins, parlemente et me tend la main. Son sort est scellé : l'homme est condamné. Sans que je sache pourquoi. Délit de sale gueule, de valise trop petite, de pellicules sur le col, de gentillesse appliquée. Délit de mec banal, ordinaire, qui part se mettre au vert en amoureuse compagnie un vendredi soir à Paris. Je me déchaîne. La pampa s'ouvre devant moi et je galope à bride abattue en labourant son cœur de mes éperons géants. Il se ratatine, demande un sursis, supplie. Je ne verserai pas une larme.

Pire : je l'achèverai d'un autre coup fatal et irai dormir, dans la chambre voisine, dans les bras d'un inconnu, étonné de m'avoir éblouie si vite. Insensible à la douleur de l'un comme au charme de l'autre. Je suis en mission spéciale, chargée de trucider un homme qui a commis l'imprudence de m'aimer, de m'approcher de trop près, de me trouver aimable, au sens où ce vieux Corneille l'entendait.

Je ne suis pas aimable et je ne supporte pas qu'on m'aime.

Je ne cherche pas à savoir pourquoi. De l'amour, je veux les coups, les contorsions des corps, le plaisir charnel qu'on oublie aussitôt rassasié, les trahisons, les eaux sales et épaisses où je nage comme un poisson agile qui fait des bulles de félicité. Tout ce qui maintient à distance et empêche de se réunir me donne de l'ardeur, de l'appétit. Les compliments, les mots doux, les attentions, la tendresse qui se déverse d'un cœur à l'autre me révulsent et me pétrifient.

Six mois plus tard, au détour d'un carrefour à Saint-Germain-des-Prés, je tombe nez à nez avec l'offensé. On se mesure, on s'épie, on prend des nouvelles, on s'observe, on se tâte le pouls. Il affiche l'assurance de l'homme libre et fend l'air de ses larges épaules où je nichais, autrefois, ma tête. Ses yeux verts bordés de noir me caressent, me troublent, me rappellent des instants délicieux où je prospérais, encouragée par leur flamme attentive. Nous allons dîner. Il me prend la main et m'interroge. Pourquoi ? Pourquoi ? Pourquoi ? J'ouvre les mains, muette, pour dire mon désarroi. Le plat de mes mains offertes mime mon désespoir. Alors tout est à nouveau possible ?

J'opine, sûre de moi. Je devais être folle, en effet. Un coup de pleine lune, peut-être. Je ne vois que ça. Il rit. Elle a bon dos, la lune, depuis qu'on lui a marché dessus ! J'insiste. Je t'assure, j'étais si bien avec toi. Réconciliée, heureuse, tous mes petits bouts qui se mettaient ensemble. J'apprenais à marcher...

Nous entrons dans ma chambre, heureux et amoureux. Il me traite en riant de grosse bête, de folle à lier, de qu'est-ce qui t'a pris ce jour-là ? Je me déshabille en chantonnant je ne sais pas je ne sais pas les filles sont idiotes parfois. Ou compliquées. On parle du passé comme d'un nuage maléfique qui s'est posé sur nous et nous a transpercés. Il se pose au bord du lit et enlève sa veste. Défait sa cravate. Je me déshabille vite vite et me glisse sous les draps. Je mordille l'ourlet frais, pleine d'appétit pour la peau douce et parfumée de son épaule, sa bouche chaude et ferme, ses reins qui m'emportent si loin, si loin... Quelle idiote j'ai été ! Sa chemise tombe. Il se tourne vers moi. Il me sourit, heureux et confiant, de l'offrande amoureuse dans les yeux.

— Tu vas voir... Cette fois-ci on va être heureux. Et longtemps ! Je vais bien m'occuper de toi...

L'ennemi s'est engouffré en moi, d'un seul coup, une bourrasque violente qui me fige et me glace. Je ferme les poings, je ferme les yeux et le supplie de décamper. Va-t'en, va-t'en... je t'en supplie... Pas lui, pas celui-là. Tu lui as déjà fait le coup une fois... Il est gentil, il me fait du bien... Je lui donne des coups de pied. Je me rétracte sous le drap. Je ne veux pas que ça recommence, je ne veux pas. L'homme s'approche nu, confiant, si vulnérable de tant de confiance, affichant son bonheur de m'avoir retrouvée. Son sourire si tendre, ses yeux verts si doux, sa main se pose sur moi...

Trop tard ! Il n'est plus qu'une gargouille grimaçante et tordue, un monstre bossu, empêtré, énorme, qui rampe sur mon lit et va bondir sur moi tel un crapaud gluant et bouffi. J'ai le corps aussi dur qu'une tourelle en béton et là-haut, au sommet, une mitraillette armée a surgi qui se pointe sur lui...

— Et pourtant, je croyais l'aimer, cet homme-là. Ou je voulais l'aimer de toutes mes forces. Mais toutes mes forces n'y suffisaient pas...

Moi, je te tiens entre mes mains immobiles et je refuse le sort que tu me destines. J'ai compris tout de suite quand je t'ai vue, quand tu m'as jeté ce baiser si violent sur la joue, que notre histoire était au-dessus de tout, au-dessus de toutes. Entre Dieu et Diable, je te murmure dans le noir de ta chambre. Entre Dieu et Diable...

— Je recommençais chaque fois et, chaque fois, je me disais que c'était la bonne. Aujourd'hui, je veux que ce soit la bonne. La dernière. Je suis fatiguée de lutter. Je me sens si vieille, fourbue après tous ces combats. Je veux être plus forte que cet ennemi qui se faufile en moi et m'empêche d'aimer à chaque fois. Tu vas m'aider, dis ? Tu vas m'aider ?

Entre Dieu et Diable... Je prierai l'un ou convoquerai l'autre. J'emploierai tous les moyens mais je te promets qu'on s'aimera. On ne se quittera pas. Je serai ton ange gardien ou je serai le diable, ton amant ou ton bourreau. J'utiliserai toutes les ruses et les plus beaux mots d'amour pour te garder. Je te tiens entre mes mains et tu ne t'échapperas plus.

Tu me tenais entre tes mains de statue et tu m'écoutais. Je te livrais les clés, les plus petits détails de mes tentatives d'aimer. Je te donnais le mode d'emploi de la violence qui se déclenchait en moi pour que tu l'anéantisses et qu'on puisse enfin, toi et moi, pénétrer dans ce merveilleux territoire qui s'appelle « amour ».

Amour : disposition favorable de l'affectivité et de la volonté à l'égard de ce qui est senti et reconnu comme bon, diversifiée selon l'objet qui l'inspire.

Affection entre les membres d'une famille.

Disposition à vouloir le bien d'un autre que soi (Dieu, le prochain, l'humanité, la patrie) et à se dévouer à lui.

Inclination envers une personne, le plus souvent à caractère passionnel, fondée sur l'instinct sexuel mais entraînant des comportements variés.

Définition du Petit Robert.

Elle s'appelait Hermione, c'était mon prof de français. J'avais treize ans et j'étais en troisième. Les cheveux noirs relevés en un chignon maigre et plat sur le sommet du crâne, de grands yeux bleus qui lui creusaient les tempes, un long nez droit de mademoiselle au Long Bec, un sourire éclatant qui tranchait sur sa tenue austère, toujours en gris foncé ou en bleu marine, et une maladresse de débutante qui m'alla droit au cœur. Quand elle se trompait dans un exposé ou s'arrêtait soudain, distraite par de trop puissantes pensées, elle souriait, désarmée, simple et offerte, semblant nous dire excusez-moi, je ne suis pas là mais je vais revenir bientôt. Une sorte de « la concierge est dans l'escalier » infiniment plus romantique et qui déclencha chez moi l'envie folle de la rejoindre dans cet ailleurs si loin de nous, de nos cahiers et de nos dissertations, de nos notes et de nos révisions, de nos jeux et de nos plaisanteries stupides de cour de récréation. Je compris alors que le désir que j'éprouvais pour elle augmentait à mesure qu'elle s'éloignait de moi. Elle n'était plus mon prof de français mais mon héroïne.

De ses cours, je ne me souviens de rien mais, de sa vie, bientôt je sus presque tout. Jeune agrégée, jeune mariée, jeune tout court, elle n'avait qu'une hâte : sortir de sa cage de prof pour courir retrouver la vie dehors. Elle se tenait prête bien avant que la sonnerie

46

ne retentisse et volait littéralement hors de la classe, hors des lourdes grilles en fer forgé qui clôturaient le lycée. Elle avait à peine tourné le coin de la rue qu'elle échangeait ses mocassins plats pour des talons aiguilles, tirait deux épingles à cheveux qui lâchaient son chignon, enroulait un cardigan en cachemire bleu ciel sur ses épaules, vaporisait quelques gouttes de parfum derrière l'oreille gauche et sautait dans un taxi où l'attendait un homme. Le corps d'un homme contre lequel elle se jetait comme une affamée. Son mari, un amant ? J'imaginais tout. Je les regardais s'embrasser comme pour se dire adieu et le taxi démarrait, me laissant les mains moites et ballantes, chancelante de fièvre et de jalousie. Si malheureuse que je pris un jour mes jambes à mon cou, courus derrière la voiture qui s'éloignait, m'accrochai à la portière, me fis traîner sur plusieurs mètres avant de lâcher prise et de rebondir sur le macadam noir. J'aurais pu mourir écrasée, ils ne m'auraient pas vue. Ils s'embrassaient, ils s'embrassaient.

Pendant les heures de cours, pour dissimuler ses tentatives d'évasion, elle empruntait une attitude raide et empesée que démentaient ses regards rapides vers les arbres de la cour. Elle ouvrait grand les fenêtres, rejetait la tête en arrière, respirait à pleins poumons en nous parlant de la passion de Racine, de la raison de Corneille, du drame de Titus et Bérénice séparés par la raison d'Etat et de la cruauté d'un homme qui choisit sans choisir et décide sans décider.

Les hommes sont féminins et lâches dans l'œuvre de
Racine, murmurait-elle en concentrant son regard
bleu liquide sur l'écorce vert vif des marrons suspen-
dus dans la cour du lycée. Puis de sa voix grave, presque masculine, elle récitait les vers de Racine :

Hé bien ! régnez, cruel ; contentez votre gloire :
Je ne dispute plus. J'attendais, pour vous croire,
Que cette même bouche, après mille serments
D'un amour qui devait unir tous nos moments,
Cette bouche, à mes yeux s'avouant infidèle,
M'ordonnât elle-même une absence éternelle.
Moi-même, j'ai voulu vous entendre en ce lieu.
Je n'écoute plus rien, et pour jamais adieu.
Pour jamais ! Ah ! Seigneur, songez-vous en vous-même
Combien ce mot cruel est affreux quand on aime ?
Dans un mois, dans un an, comment souffrirons-nous,
Seigneur, que tant de mers me séparent de vous ?
Que le jour recommence et que le jour finisse
Sans que jamais Titus puisse voir Bérénice,
Sans que de tout le jour je puisse voir Titus ?

... sans nous regarder comme si elle les récitait pour
elle seule, pour apaiser une douleur qui la dévorait et,
après une pause, se retournait et nous demandait de
les copier. Dieu, l'innocence, la grâce et la raison che-
villent l'œuvre de Corneille, l'homme n'est qu'un
sujet qui reçoit, effrayé, la volonté de Dieu, qui tente
de se transcender, de se rapprocher de Lui en Lui
obéissant ; l'homme, la femme, l'amour, la cruauté

étrange de l'amour baignent l'œuvre de Racine et, ajoutait-elle, comme pour s'en convaincre, l'amour est cruauté et raffinement, distance et désir.

J'avais envie de crier en l'écoutant. Pour moi, les héroïnes de Racine portaient des cardigans bleu ciel et prenaient la fuite en talons aiguilles. Je m'identifiais à tous les amoureux méprisés, à ceux auxquels on accorde son cœur faute de mieux et souffrais en silence en offrant mon tourment à Dieu. Je devins cornélienne. J'appris la douleur, l'attente, la jalousie, organisai des chahuts pour qu'elle me remarquât, lâchai des boules puantes, écrasai des cartouches d'encre sur mes copies et les rendis maculées pour qu'elle me sermonnât. Elle n'entendait ni ne voyait mes efforts désespérés pour exister à ses yeux et je renonçai. En un dernier sursaut, je me tailladai les cheveux telle Jeanne d'Arc sur son bûcher. Ma mère haussa les sourcils, pas ma prof de français.

Quand le mois de juin arriva, je comptai les jours et devins muette. Je ne survivrais pas à la séparation qui s'annonçait. D'autant que j'avais appris qu'elle quittait le collège et suivait son mari en poste à l'étranger. Le dernier cours fut étrange : elle retenait des larmes au bord de ses cils noirs et ses yeux bleus semblaient globuleux tellement ils étaient liquides. Je voulus croire qu'elle pleurait pour la même raison que moi : on ne se verrait plus. Elle rangea lentement ses cahiers et ses livres sans un regard pour les marronniers de la cour. Nous dit au revoir, s'attarda dans la salle des profs puis sortit par la lourde grille qui entourait le collège en briques rouges. Sans se hâter. Sans changer ses chaussures, ni retirer ses épingles, ni nouer son cardigan en cachemire bleu ciel. Elle attendit sagement le bus qui devait la ramener chez elle. Je ne devais plus la revoir.

Pendant que je prenais goût à la douleur exquise d'imaginer l'amour, de tout offrir sans être devinée ni remerciée, ma mère reprenait du poil de la bête.

Elle travaillait toujours autant dans la journée, passait de longues heures le soir à dresser des bilans, débit-crédit, débit-crédit, penchée sur le rabat de son secrétaire, l'œil noir sous la mèche noire, lâchant de temps en temps dans un sifflement de haine le nom tant honni de notre père, supervisant d'un œil sévère notre travail scolaire, exigeant pour la moindre sortie ou le plus petit plaisir une place de premier, voire de second, à l'extrême limite de troisième, mais elle recevait aussi quelques représentants du sexe opposé qu'elle gratifiait d'un doigt de Martini, de biscuits salés, de cacahuètes, d'olives sous plastique de Monoprix, et de ses plus beaux sourires.

Car elle était belle. Très belle. Grande, brune, d'immenses yeux noirs, de longues jambes, des épaules rondes et lisses et une peau au grain mat et serré qui appelait les hommages et les baisers. Avec, en plus, cette froideur innée, cette allure de princesse qui maintient à distance et inspire respect et désir fou. Elle essayait de se déguiser pour se rendre plus aimable, plus commerçante, afin que ses flèches ne manquent pas leur but mais, si ses lèvres exquises se retroussaient en un sourire enjôleur, ses yeux restaient froids, noirs, aussi perçants que ceux d'un maquignon. Les hommes voletaient autour d'elle telles des perruches affolées et elle n'avait qu'à battre des cils pour désigner l'heureux élu qui viendrait picorer une olive dans sa main. Sa naïveté de jeune fille ignorante l'avait poussée dans les bras d'un goujat qui avait fait son malheur, la lestant de quatre marmots sans aucun magot. Ce temps-là était révolu : elle avait décidé de prendre sa revanche, de rançonner les hommes en leur faisant miroiter mille promesses de félicité contre des avantages sonnants et trébuchants. Du pouvoir ou de l'argent sinon pas de cacahuètes ni de doigt de Martini. Chacun donnait selon ses moyens comme le dimanche à la quête de l'église et recevait selon ses dons. Elle, à son habitude, tenait les comptes et les rênes de son petit monde, jugeant aux acquis amassés de l'heure, de la durée et de la qualité de son abandon, si cela devait se produire.

C'est ainsi que l'on vit défiler toutes sortes de prétendants appliqués sans jamais en surprendre un dans son lit ni avoir le sentiment d'interrompre un tendre tête-à-tête. Il y avait le distingué désargenté qui se courbait en un baisemain élégant, l'emmenait au concert, au théâtre ou au restaurant, l'intellectuel qui lui parlait de Gide, Cocteau, Faulkner, Sartre ou Baudelaire, en pantalon de velours côtelé, enfumant le salon de ses paquets de Gauloises, le manuel en bretelles qui réparait les prises défectueuses, débouchait les éviers, bricolait des étagères pour nos livres d'école, le sportif qui nous accompagnait le dimanche au bois de Boulogne, entraînait les garçons au foot, organisait de grandes parties de cache-cache ou de ballon prisonnier, l'étudiant transi qui la dévorait des yeux et lui parlait politique et révolution, Marx et Tocqueville, apaisant ses envies anarchistes et subversives, l'aristocrate au nom à rallonge qu'elle pouvait semer de temps en temps dans la conversation, et un gros plein de sous qu'elle montrait peu, recevait en pantoufles et bigoudis, mais qui payait beaucoup. Se présenta aussi un curé chargé de veiller à la bonne tenue de nos âmes, qu'elle gratifiait d'un « mon père » prononcé sur le même ton câlin et frivole qu'elle empruntait avec les autres.

L'homme se fractionnait ainsi en un vaste catalogue à vignettes multiples, où elle faisait son marché selon ses désirs et ses besoins, un œil sur la calculette, l'autre sur l'état de la moquette ou de nos bulletins scolaires. Le soir, pour se reposer de tant de séduction dépensée, elle relisait *Autant en emporte le vent* et se prenait pour Scarlett. Elle s'éventait sous les porches des plantations, disposait ses toilettes à jupons dans une vaste calèche, s'alanguissait en valsant dans les bras de Rhett, plongeait des doigts avides dans son coffret, s'inventait un Tara majestueux car elle avait le goût de la terre, calculait le prix des rideaux, des faux plafonds et des parquets et, avant d'éteindre, regardait par-dessus son épaule pour voir s'il n'arrivait pas. Le lendemain, hélas, elle remettait ses nippes de Cendrillon, prenait le métro et allait faire l'institutrice porte Pouchet dans un quartier peu distingué.

Les soupirants avaient tous en commun une envie folle de la culbuter mais bien peu y parvenaient. Pour qu'elle s'abandonne, il fallait, en effet, que l'élu cumule plusieurs articles à lui offrir et de première qualité. Elle ne se donnait pas pour rien. L'homme idéal, celui qu'elle recherchait avec âpreté et pour lequel elle était prête à investir en olives, Martini et cacahuètes, devait être libre, puissant, riche, et avoir « un gros job ». Cette expression sonnait tel un clairon dans sa bouche, scintillait comme une poignée de diamants jaillis d'une cassette éventrée. Je mis du temps à comprendre ce qu'elle entendait par là et l'appris, un jour, à mes dépens.

Comme, malgré tout, elle possédait une âme de midinette, il devait aussi être beau, grand, fort, s'habiller avec goût, posséder une voiture allemande, un compte bancaire en Suisse, une maison de famille ou un château, parler anglais, avoir le ventre plat et la mèche un peu folle, se vautrer dans du cachemire et fleurer bon l'eau de toilette de qualité. Enfin, il devait l'aimer, l'aimer, l'aimer afin de panser et combler la blessure béante causée par l'inconduite de son ex-mari. C'est ce qu'elle laissait entendre en une pose d'Iphigénie au bûcher, la tête renversée, la ligne parfaite du cou, des épaules et du décolleté offerte au bourreau vulgaire et sanguinaire.

Nous étions bouche bée devant tant de maîtrise, de charme et de savoir-faire et n'estimions guère l'ensemble des prétendants. Car, quand nous étions réunis entre nous dans la cuisine autour d'un plat de nouilles au beurre, arrosé d'un Viandox, elle les passait au crible et se moquait du petit ventre de l'un, de l'accent pointu de l'autre, des poils incarnés du troisième, du bégaiement de l'étudiant ou des fautes de français du gros plein de sous. Avec une cruauté qui faisait nos délices. On ne se lassait pas de l'entendre démolir le fat ou l'ignorant qui venait de tourner les talons. Rassurés par tant de pointes acérées : elle ne les aimait pas, on la garderait pour nous, personne ne nous l'enlèverait.

Elle était notre idole brune, notre Sainte Vierge blonde, le Sésame ouvre-toi de nos vies d'enfants qui empruntaient ses yeux pour apprendre nos premières leçons.

Pour se consoler de l'imperfection de ses victimes présentes, les yeux mi-clos et la Gitane glissant au bout de ses longs doigts fins, elle repartait dans le passé et nous racontait pour la centième fois l'épopée de ses amours d'antan, bien plus flamboyantes, qui se terminait toujours par cette phrase exhalée du plus profond de sa haine... « mais il a fallu que j'épouse votre père ! ». Nous courbions la tête, conscients d'être responsables de cette bévue, tout en ne comprenant pas très bien pourquoi.

Les prétendants passaient, certains s'incrustaient, notre train de vie s'améliorait. On écoutait des concertos de Rachmaninov ou des chants révolutionnaires cubains, on goûtait au champagne, au foie gras frais, aux truffes blanches et noires, les garçons recevaient de vrais ballons de foot, les filles des baby-bulles ou des hula-hoop, on nous emmenait au cinéma le dimanche, au concert le samedi soir, on apprenait à danser le twist et le madison, et les placards, les penderies et les étagères recevaient nos effets et nos livres bien rangés. Il nous arrivait même, les soirs de grande excitation, de rêver à une machine à laver ou à une automobile qui nous transporterait vers des plages de sable doré et de mystérieuses destinations. Les prétendants donnaient, et nous recevions avec la même grâce polie et froide de notre mère, un merci chuchoté qui signifiait notre distance tout en signant notre bonne éducation. Je me souviens d'un jour où mon petit frère, croulant sous les cadeaux d'un prétendant nouveau, pénétra dans ma chambre et lâcha :

— C'est normal, il veut baiser maman...

Les choses se gâtèrent avec le gros plein de sous. Un épisode qui ternit quelque peu l'admiration que nous portions à notre mère.

Elle s'était mis en tête, en effet, d'avoir une résidence secondaire comme beaucoup de ses collègues, de ses frères et sœurs, de ses relations qui se gargarisaient de leur lopin de terre au soleil ou à la neige, décrivaient chaque année les menues améliorations apportées à leur arpent, s'étendant sur leur statut de propriétaire, lui infligeant un affront qu'il lui fallait relever, faute de démériter. Elle se devait de mettre « Tara » en chantier et le gros plein de sous ferait l'affaire. Il possédait dans le Midi une importante quincaillerie qui crachait des sous et des sous dont il ne savait que faire, étant veuf et sans enfant. L'inconvénient, nous confia notre mère, c'est qu'il savait compter et qu'il allait falloir l'embobiner serré afin qu'il lâche ses bénéfices sans autre intérêt que celui de satisfaire sa Dulcinée. Car elle entendait bien ne rien lui accorder en échange. Pas un gramme de sa chair. « A l'idée que ce gros dégoûtant me touche », frissonnait-elle en s'enveloppant de ses bras, et nous frissonnions avec elle. Un Martini de temps en temps et peut-être, peut-être, s'il savait se montrer sage et patient, l'éventualité d'une chambre dans le château de notre mère d'où il pourrait la contempler, le soir, telle une nébuleuse lointaine dans le ciel étoilé.

Le rusé plein de sous vit là l'occasion de s'infiltrer et de se rendre indispensable. Il deviendrait le grand ordonnateur des rêves les plus fous de notre mère, Tara, Tara, Tara, et peu à peu se glisserait dans son lit, dans sa vie.

C'est ainsi que débuta l'épisode du chalet à la montagne.

Pour se donner bonne conscience, elle commença à parler d'un endroit au grand air où les enfants s'ébattraient, loin de la pollution citadine. Elle enseignait alors *Heidi* à ses élèves de primaire et se mit à rêver d'un chalet en bois, aux corniches dentelées, dans des alpages élevés, face aux cimes neigeuses et aux grands glaciers bleus. Elle devint lyrique et parla d'edelweiss, de marmottes, de névés, d'hysope, de perce-neige, de torrents impétueux et glacés, de sources claires, de chamois apeurés, d'orages fracassants, de moutons transhumants et de bonnes miches de pain tachetées de farine. Des vacances, nous ne connaissions que les colonies organisées par la mairie du 18ᵉ, les promenades deux par deux sous les sifflets des moniteurs, les sandwichs au jambon-beurre, les baignades chronométrées entre deux cordes, les maillots mouillés qui grattent et les appels militaires le soir avant de se coucher. Bientôt, si son charme opérait, nous serions « propriétaires fonciers » et libres de vagabonder dans les alpages d'Heidi.

Le gros plein de sous lui trouva vite fait vallée ensoleillée et terrain constructible. Elle dessina avec fièvre et application les plans de « Tara », lui laissant en contrepartie tenir sa main quand elle lâchait le crayon. Il voulait une chambre au premier, à côté de la sienne, elle l'assura que ce n'était pas convenable à cause des enfants et le logea au rez-de-chaussée, face

au local à skis. Il bouda quelque temps puis accepta.
Elle lui donna, en échange, un petit baiser sur le nez
qui le fit rougir si fort que son acné tardive redoubla
et qu'elle en profita pour le rétrograder au sous-sol à
côté de la chaudière. « Ainsi vous aurez chaud en
hiver... », minauda-t-elle, lui assurant qu'il devait rester en excellente santé et que son bien-être lui était
cher. Si cher... Il n'en avait même pas idée ! Muet et
bouleversé, il accepta. Et se retrouva bientôt à dormir
sur une couchette en bois escamotable dans un local
qu'elle appelait, entre nous, débarras.

Comme nous d'ailleurs, les quatre enfants qui nous
partagions quatre bat-flanc dans deux petites chambres mansardées au dernier étage donnant sur un talus
pendant qu'elle se réservait une suite présidentielle
face au Mont-Blanc, à l'étage noble, le premier.
Jamais je ne pensai à le lui reprocher ni ne cherchai
à voir en elle autre chose que ce qu'elle était : splen-
dide dans le sordide, franche et spontanée dans la
cruauté, précise et exacte dans ce qu'elle exigeait de
la vie en remboursement de ce qu'on lui avait volé. Je
ne la déguisais pas en femme charmante, ne la parais
d'aucune qualité mais m'entichais de sa façon ouverte
de faire du mal et de prendre sa revanche. C'est ainsi
qu'elle était grande et unique au monde. C'est ainsi
que je l'aimais. En pirate, dure dans l'abordage, impitoyable avec ses prisonniers et rapace quant au butin.

Le gros plein de sous parlait aux maçons et payait,
au menuisier et payait, à l'électricien et payait, au

plombier et payait, au paysagiste et payait. Il s'échinait à ce que tout soit en ordre pour sa Dulcinée, harcelait les ouvriers, troquait sa camionnette grise contre un coupé Peugeot, mangeait sa soupe en bout de table en étouffant le bruit de ses maxillaires, retenait la cendre de sa Gauloise maïs afin qu'elle ne tombe pas sur sa chemise en nylon et descendait dormir au sous-sol pendant que nous nous égrenions, riant de sa maladresse, vers les étages supérieurs. Il nous arrivait cependant, quand le soleil était chaud, la neige poudreuse et qu'il nous avait loué à chacun une paire de skis et payé un forfait de remontée mécanique, de l'appeler « Tonton » et de déposer un baiser réticent sur son crâne chauve, là où il n'y avait pas de boutons.

Tant qu'il était là, ronflant près de la chaudière, le « gros job » n'enlèverait pas notre mère. C'était un rempart disgracieux dont nous avions honte en plein jour devant les autres, mais qui nous protégeait de la peur, le soir, quand le noir tombe et que les mauvais rêves se dessinent.

Nous nous trompions. Rien ne pouvait arrêter la quête inlassable de notre mère, rassurée par les corniches en bois dentelé, la vue imprenable sur le glacier bleu argenté, son parquet bien ciré, ses arpents boisés, son titre de propriétaire. Elle était reine. Il lui fallait un prince. Et le crapaud écarlate qui fumait des Gauloises maïs du bout du bec, coupait sa viande rouge à l'aide d'un Opinel qu'il tirait de sa poche, suait sous le soleil et parlait vente de clous et de tournevis, elle le savait, ne se transformerait jamais en « gros job » charmant et enivrant. Il lui fallait passer à l'étape suivante.

Je continuais à aimer éperdument...

J'emploie le mot « aimer » parce qu'il est commode mais je devrais plutôt utiliser le mot « désirer ». Car c'est de désir qu'il s'agissait. Le désir nous dilate, nous permet d'occuper un espace plus grand que celui qui nous est alloué. Le désir est à l'homme impuissant et faible ce que les bataillons armés sont à un général galonné.

Je me jetais à la tête de ceux qui allumaient en moi, sans que je sache pourquoi, une violence tranquille qui me rendait hardie. Le cœur sur la main. L'offrande au bout des lèvres. Je ne savais pas quoi donner, alors je donnais tout.

Appuyée contre le guidon de la moto d'un bellâtre qui enflammait brusquement mon corps de fillette, je lui lançai, pas si innocente que ça : «Emmène-moi sur ta moto et je ferai tout ce que tu voudras. » Il éclata de rire devant la maigreur de ma proposition et en fit grimper une autre plus ronde et plus charnue, une Brigitte Bardot de village qui débordait de partout dans son vichy rose et blanc et savait nouer à la perfection son fichu assorti à la pointe du menton.

Collée contre un apprenti charcutier dans un bal à flonflons du mois d'août, je l'attirai dans une grange, m'allongeai dans la paille et posai sa main sur ma poitrine. Lui aussi recula, rebuté par mon manque d'appas.

J'étais grande ouverte, la bouche affamée de baisers. Je voulais connaître ce désir fou que je reniflais aux pieds de ma mère, m'emparer à mon tour de ce levier puissant qui faisait tourner le monde en multipliant les prétendants. Pour cela, il me fallait au moins un partenaire.

Si, en été, je tombais amoureuse des garçons, le reste de l'année je me jetais à la tête des filles. Puisque je ne pouvais décrocher un amoureux, au moins je me dénicherais une copine, une « meilleure amie » avec qui m'accoupler et me faire les dents sur les sentiments.

Ce n'était pas si facile. Les lois de l'amitié frôlant celles de l'amour à l'âge où tout se mélange encore, où la séduction s'exerce sur n'importe quel sexe pourvu qu'on en ait l'ivresse, je ne faisais jamais l'affaire. On me trouvait toujours « trop » ou « pas assez ».

Je ne connaissais pas les nuances, les dégradés, les soupirs énigmatiques qui engendrent mélancolie et désir, les attitudes de biais où se faufile le trouble, les faux airs, les cils baissés, les longs silences remplis de promesses enfiévrées. Comme les délinquants chevronnés, élevés dans la violence, je ne connaissais de la vie que la simplicité de la brutalité, la prise de butin et le rapt des cœurs. Et je m'étonnais de rencontrer si peu de succès auprès de mes petites camarades.

C'est qu'il existait une autre manière d'aimer. Et quelle était-elle ? Pourquoi étais-je la seule à l'ignorer, à ne pas savoir y faire, à cheminer sans une main amie dans les rangs ? La seule à brûler d'un feu intérieur que je devais contenir faute de pouvoir le partager et qui me faisait parfois sangloter dans le noir de ma chambre. Ma mère, quand elle me surprenait, refermait la porte en soupirant : « Et qu'est-ce que ce sera quand elle sera amoureuse ! »

J'étais amoureuse. Je ne savais pas de qui mais tout mon être réclamait de l'amour, vibrait tendu vers cet embrasement qui m'échappait sans cesse et dont je n'avais pas le mode d'emploi.

Un jour, cependant, j'attrapai un bout de lumière.

Elle s'appelait Nathalie. Elle était brune avec des taches de rousseur, des yeux noirs, des cils si longs, si recourbés que, lorsqu'on se promenait dans la rue, les gens l'arrêtaient pour savoir s'ils étaient vrais ou faux, des cheveux souples et ondulés, courts, mousseux, une bouche en accent circonflexe, pleine mais petite, un regard de fillette déjà maltraitée par la vie mais arrogante et dure. Une coriace savante et blessée.

Je l'aimais d'un amour brutal, dévastateur. Je lui proposai de m'ouvrir les veines pour elle, de courir le monde pieds nus à ses côtés, de convoquer les orages et la foudre, de lui servir de souffre-douleur, de la couvrir de lis et de glaïeuls. A chaque refus, je préméditais le pire, à chaque sourire, je me reprenais à espérer. Elle me considérait avec pitié et condescendait, de temps en temps, à être ma copine. De temps en temps seulement car elle était volage et en aimait une autre. J'étais très malheureuse. Je souffrais mais ça ne m'empêchait pas de jouer au ballon prisonnier, de manger des craies, de déclencher des chahuts, de sauter à la corde, de me pâmer devant le tee-shirt rouge de Johnny sur son dernier 45 tours. Je mélangeais allégrement mon amour blessé et mon trop-plein de vie. Ce qui ne plaisait pas du tout à Nathalie qui, un jour, me déclara...

On était allées toutes les deux dans un cagibi où étaient rangées les cartes de géographie. C'est le prof qui nous avait désignées pour chercher celle de l'Italie. Quand j'avais entendu nos deux noms, mon cœur avait bondi. Le temps de me lever de mon bureau, de traverser la classe, le couloir et de me retrouver seule avec elle dans le local à cartes, j'étais déjà triste : le retour était proche et je n'avais que quelques minutes seule avec elle. J'aurais voulu la contempler, la regarder passer sa langue sur ses lèvres ou parler en battant l'air de sa main droite. Elle battait toujours l'air de sa main droite quand elle parlait, comme si elle parcourait à vive allure un classeur bien rangé à la recherche d'un document qu'elle était sûre d'avoir archivé et qu'elle ne trouvait plus.

Triste, abattue, donc lointaine, absente, je la regardais à peine, sachant que j'allais la perdre dans un instant. Pas le temps de m'installer dans une dévotion amoureuse et gourmande, de compter ses taches de

63

rousseur ou d'observer la pointe de ses cils, de faire enfler les voiles de mon galion et de l'emmener au bout du monde. Moi, c'est en Italie que j'aurais voulu aller avec elle. Pas dans ce cagibi qui sentait les toilettes proches, et les produits d'entretien au chlore et à la Javel.

On a décroché la carte plastifiée géante en silence, sans chuchoter, sans se pousser du coude, sans échanger le moindre regard coulé et, au moment de sortir du cagibi à cartes, elle a soupiré :

— J'aime quand tu es triste...

Je n'ai rien répondu parce que, sur le moment, je n'ai rien compris.

Je me suis appliquée à rester triste toute la journée et le soir, dans mon cartable, elle avait glissé une invitation à venir goûter chez elle le lendemain. Je poussai des cris de guerrière, cassai ma tirelire, me chargeai de cadeaux et me jetai sur elle quand elle ouvrit la porte. Elle me lança un long regard noir et je compris que je l'exaspérais. On passa l'après-midi à chercher à quoi on pourrait bien jouer. Je redoublai d'exubérance pour vaincre sa résistance mais, plus je me dépensais, plus elle se recroquevillait et m'évitait. Je ne fus plus jamais invitée.

En m'enfermant dans ma tristesse, dans le local à cartes, je m'étais éloignée d'elle, provoquant, dans sa certitude tranquille d'être aimée, une blessure légère, un trouble délicieux qui lui avait suggéré que, peut-être, elle m'avait perdue et qu'il fallait me reconquérir. De l'amour, elle aimait l'incertitude et la souffrance. Dans l'amour, je voulais me fondre, me réchauffer, tout offrir pour tout trouver. Moi qui, d'habitude, la collais, réclamais son attention comme une mendiante insistante, j'avais mis de l'espace entre elle et moi, et cet espace, elle n'y était pas habituée. Je lui avais donné le goût de me convoiter mais n'avais pas su l'entretenir.

Je n'avais pas le temps de découvrir toutes ces nuances délicieuses de l'amour. Dès que je rentrais à la maison, l'ordre brutal de ma mère reprenait le dessus. Débit-crédit, débit-crédit, lamentations et cris, leçons, bain, piano, pâtes à l'eau, et à huit heures et demie : au lit. Elle se penchait à toute vitesse sur nos oreillers, soufflait un baiser qui ne se posait jamais, faisait claquer l'interrupteur et un ordre retentissait : « Dormez maintenant, demain y a école. »

Je n'étais pas toujours cette petite fille qui courait après l'amour et n'en attrapais que des bouts. Il m'arrivait parfois d'être une autre, une inconnue dont la sauvagerie me stupéfiait. Une fois de plus, j'étais troublée et ne comprenais pas.

On marche toutes les deux sur l'avenue. C'est un samedi. Il est convenu que, chaque samedi après-midi, je la promène. Convenu aussi que sa mère me donne un billet en échange. C'est mon argent de poche. J'ai treize ans et je dois le gagner.

Au début, je la promène et la regarde à peine. C'est une petite fille ingrate, le cheveu terne, l'œil qui coule, le teint gris, habillée à bas prix. Elle a les épaules rentrées de celles habituées à recevoir des quolibets, celles qui avancent de biais et aspirent l'air de côté pour ne pas déranger.

Je marche, elle avance près de moi. Nos corps se touchent. J'accélère, elle revient se coller contre moi. Je m'arrête, elle bute dans mes pieds en s'excusant, me lance de longs regards d'adoration muette. En attendant que le feu passe au rouge, elle se blottit contre moi. Je la repousse, elle agrippe mon bras. Je la repousse à nouveau, elle enlève son bras mais reste appuyée contre moi. Comme elle me serre de trop près, je lui demande de marcher devant. « Je t'ai à l'œil, je lui dis, je t'ai à l'œil et t'as intérêt à accélérer, je n'ai pas que ça à faire, moi, si tu crois que ça m'amuse de promener une mioche qui colle, qui suinte et qui est moche. » Elle renifle et marche devant. Elle s'applique, avance plus vite, ses genoux s'entrechoquent, elle veut effacer ce qui provoque ma colère, glisse son mouchoir sur son œil humide, le replie et le met dans sa poche. Le soin méticuleux, un soin d'horloger savoyard, avec lequel elle a replié son mouchoir et l'a fourré dans sa poche déclenche en moi une violence inouïe. Comme si toute ma colère avait trouvé un point d'appui, un alibi pour éclater. Tu aimes plier les mouchoirs, tu aimes ça ? Elle ne sait pas quoi répondre et, dans son regard moite, je lis la peur, la peur qui la met à ma merci, excite mon ardeur, l'immobilise et la prépare à recevoir le coup. Sa peur m'ouvre un immense territoire où je peux exercer ma loi. Je galope dans la pampa et le soleil ne se couche jamais sur mes terres. Je tutoie les rois et brandis mon sceptre. Je prépare le coup. Il ne va pas partir tout de suite. Il faut que je savoure auparavant la chaleur délicieuse qui me remplit, me brûle et m'inonde de plaisir. C'est là, en cet instant, que je découvre le plaisir, le plaisir physique...

Il est là, à mes côtés, l'objet de mon désir, et je ne vais pas l'écraser d'emblée de ma brutalité. Il palpite de terreur. Il a remis son sort entre mes mains et je veux le sentir transpirer, redouter le pire et l'accepter. Je veux palper sa panique, m'en emparer, la goûter, m'en pourlécher. Je me sens forte comme un lion, royale comme une infante enturbannée, et ma vie devient magnifique puisque je tiens entre mes mains une proie palpitante et consentante qui m'appartient, qui se fond en moi, dont je suis l'amante infernale. Une proie qui désormais va payer pour que je la tourmente.

Quand je remettrai l'enfant à sa mère avec un grand sourire, elle me dira : merci, ma petite, tu me rends un immense service en t'occupant d'Annick. Grâce à toi, j'ai pu faire toutes mes courses. Tu dis au revoir et merci, Annick ?

Au revoir et merci, et j'augmente mes prix parce que votre gamine, elle n'arrête pas de faire des bêtises,

faut l'avoir à l'œil tout le temps. C'est pas une sinécure, vous savez.

Je la retrouve chaque samedi, j'invente chaque
samedi de nouveaux tourments, de nouvelles puni-
tions. Je me rends à nos rendez-vous comme un liber-
tin débauché se penche sur une jeune donzelle, je me
prépare, imagine mille sévices, brûle de fièvre, de plaisir contenu, clandestin, et jouis d'exercer mon vice
sous les apparences de la charité.

— Allez, viens, petite Annick ! On va se promener
et bien s'amuser !

L'enfant me regarde, terrifiée, embrasse sa mère
sans rien dire et se livre à moi.

Alors tu vas le manger le mouchoir, tu vas le mettre
en entier dans ta bouche, comme ça je ne t'entendrai
plus, bon débarras, et garde les yeux baissés, tu n'as pas
le droit de me regarder, t'as compris ? Pas le droit de
poser les yeux sur moi ! Et si tes pieds touchent une
ligne, une ligne du trottoir, je te file une baffe, moche-
té ! Et cet œil qui n'arrête pas de couler ! T'as vu
comme on te regarde ? C'est vraiment dégoûtant !
Marche devant, je ne veux pas qu'on croie qu'on est
ensemble.

Les joues gonflées, l'œil tiré vers le bas et suintant
de plus belle, elle avance, elle avance. Tu parles d'une
promenade ! Mais jamais elle n'a parlé. Jamais elle ne
m'a dénoncée.

On s'était habitués au gros plein de sous. Et il s'habituait à nous. A sa couchette au sous-sol. Aux chèques qu'il gribouillait pour un oui, pour un non. A sa qualité de ver sous terre qui contemple son étoile au balcon.

Il se surveillait moins. Il reprenait des frites, se versait des verres de vin rouge, se laissait tomber en soufflant dans les fauteuils-crapauds du salon, retroussait une jambe de son pantalon jusqu'au genou et se grattait, se grattait sans façon. Il restait là, une jambe couverte, l'autre découverte, exposant un mollet blanc plein de poils et de plaques rouges. On voyait tout mais on ne ricanait plus : il nous donnait des sous. On l'appelait Tonton, il maugréait nos prénoms, changeait nos roues de bicyclette, transportait le sapin de Noël sur son dos, nous offrait des canifs, des bougies, des pelotes de ficelle qu'il rapportait de son magasin, nous apprenait à tricoter des nœuds de marin, à scier des planches pour notre cabane.

De temps en temps, il faisait le beau, troquait sa chemise en nylon pour une plus belle en coton, glissait le peigne sur son crâne chauve, rentrait le ventre dans sa ceinture et proposait à notre mère de boire du champagne puis d'aller dîner en ville. Elle disait non, elle disait oui, et ils partaient ensemble, elle, grande et élégante, lui trottinant derrière. Ils ne rentraient jamais tard. On entendait les portières de sa voiture claquer, ses pas à elle monter jusqu'au premier, ses pas à lui descendre jusqu'au sous-sol.

Cela aurait pu durer longtemps.

Il s'appelait Henri Armand. Il avait élevé, seul, un enfant, un grand garçon qui, à vingt-quatre ans, poursuivait des études dentaires. Mme Armand était morte écrasée par un autobus anglais alors qu'elle traversait une rue de Londres, les bras tendus vers son aimé, et qu'elle regardait du mauvais côté. Il ne disait jamais Angleterre mais perfide Albion. D'un air sombre et douloureux qui interdisait que l'on fredonne la moindre chanson des Beatles ou des Stones en sa présence. Il portait de larges shorts coloniaux à soufflets, des chemises en lin blanc, une pipe qu'il appelait « ma bouffarde », un chapeau tyrolien, des chaussettes en laine épaisse et des chaussures de marche avec œillets et lacets écossais. Il marchait beaucoup, d'un pas élastique et sûr, le pas d'un homme habitué à dominer le monde.

C'est ce pas-là qui avait séduit ma mère. La première fois qu'il avait gravi les marches en bois du chalet, pendant que Tonton ronflait dans son fauteuil-crapaud et que ma mère se limait les ongles en se demandant si elle mettrait du vernis incolore ou carmin, elle avait levé la tête et m'avait dit émerveillée : « Tu entends ce pas ? C'est le pas d'un homme qui domine le monde. — Moi, je mettrais plutôt de

l'incolore, je lui avais dit, l'autre ça fait dame.
— Entends ce pas, entends ce pas, mais... il vient
chez nous ! Vite, range tout. » Elle avait escamoté sa
lime et caché ses ongles derrière son dos.

Henri Armand dominait le monde. Henri Armand
avait un « gros job ». Henri Armand était notre nouveau voisin qui s'en venait présenter ses hommages. Il
jeta un œil étonné à Tonton ronflant dans le fauteuil-
crapaud. Elle lui fit un signe de gamine joyeuse et
l'entraîna sur le balcon en lui murmurant : c'est un
vieux cousin, j'ai peine pour lui, mais vous savez, la
famille... Il sourit, miséricordieux, et ajouta que la
famille, c'était la famille, n'est-ce pas ? Elle frétillait,
proposait un café, il ne voulait pas la déranger, il ne
faisait que passer, mais non mais non, un Nescafé,
c'est vite fait. Puisque vous insistez... mais je n'étais
pas venu pour ça. Quel est votre nom déjà ? Je ne l'ai
pas saisi. Armand, Henri Armand... Des entreprises
Armand ? demandait ma mère, ébahie. Là, à Tara, au
pied des Alpes, on lui envoyait son Prince Charmant.
Sans alliance au doigt. C'est la première chose qu'elle
avait vérifiée avant de lui offrir un café.

Nous, les frères et sœurs, on assistait à leur rencontre, catastrophés. Le pire se produisait, là, sous nos
yeux : l'entrée en scène de Gros Job.

On se croyait en sécurité, l'été, dans les alpages,
avec Heidi et le grand-père, les bouquetins et les
congères, l'hysope parfumée qui infusait dans la
théière, les cloches des moutons transhumants que

des bergers sombres et muets poussaient de leurs bâtons. Les Gros Job se prélassaient tous à Saint-Tropez, au rythme de leur voilier, entre un bouquet de glaïeuls et une nymphette bronzée. Ils ne venaient pas arpenter les sommets enneigés, se baigner dans les torrents glacés et se faire des ampoules aux pieds en traquant les chamois.

On avait tort. On eut un bref instant l'envie, vite abandonnée, de réveiller Tonton, de le secouer, de lui dire regarde qui est là en train de te piquer ta cassette et tout l'or qu'il y a dedans, arrête de ronfler, Tonton, rentre ta chemise dans ton pantalon, rentre ton ventre, redresse-toi et défends-nous. On a besoin de toi, nous ! Qu'est-ce que tu fous à digérer tes rillettes et ta pêche Melba pendant que le propriétaire des entreprises Armand soulève ta fiancée ?

Elle était transfigurée. Elle chantonnait, s'habillait de larges jupes virevoltantes, de bustiers moulants, offrait son corps au soleil, essayait de nouvelles coiffures, distribuait des baisers, des caresses à l'aveuglette, nous serrait contre son cœur et nous disait qu'elle nous aimait. L'amour la rendait aimante. L'amour est un fluide qui circule d'un être à l'autre en faisant des détours. L'amour est généreux et s'abandonne en route, se pose sur des cœurs solitaires et y laisse son empreinte, avant de repartir prospérer chez ceux qu'il a élus.

Ses yeux se remplissaient de larmes. Elle nous regardait et nous demandait si elle était belle. Si elle était drôle, si elle avait de l'allure, si elle était « distinguée ». Comme autant de miroirs renversés à ses pieds, nous récitions des louanges et des compliments tressés. Nous la remplissions de notre amour et elle s'en nourrissait. Fermait les yeux et souriait. Puis elle regardait sa montre et nous donnait de l'argent pour aller faire du pédalo sur le lac. On murmurait « merci » et on décampait. Avec mon petit frère, en pédalant de toutes nos forces pour rattraper les grands, on se disait qu'on ne la reconnaissait plus. Elle était devenue une autre, une inconnue jaillie à la lumière, épanouie et gaie, légère, si légère.

— Tu crois qu'elle était comme ça au début avec papa ? demandait mon petit frère.

— Sûrement, on est toujours comme ça quand on est amoureux. C'est magique, l'amour...

— Comment tu le sais ?

— Je l'ai lu dans les livres.

— Et avec papa, tu crois que c'était magique ?

Quand il arrivait pour nous chercher, nous emmener dans un de ces vagabondages dont lui seul avait la clé, on se demandait toujours par où il était passé. Il jaillissait au détour du chemin de l'école, bondissait d'une voiture à un feu rouge, se faufilait par la fenêtre, tombait de la cheminée à Noël, nous enlaçait, nous lançait en l'air en criant : « Ah ! mes bébés ! Ah ! mes bébés ! » Devant notre mère, on essayait de cacher notre joie, on écrasait nos rires dans le cuir usé de sa veste, on frottait nos visages au creux de son épaule, respirant l'odeur âcre et parfumée qui se dégageait de lui. L'odeur forte et généreuse d'un bandit qui ne respectait pas la loi des hommes bien élevés et soumis. Un menteur, un tricheur, un escroc qui débordait d'amour et de joie de vivre.

Il n'était jamais le même : un jour sans le sou, parasite insouciant vivant aux crochets de l'une ou de l'autre, le lendemain directeur général d'une entreprise de gazon synthétique ou d'une chaîne de parfumeries, la semelle trouée ou le pied moulé dans un mocassin italien. Les billets sortaient de ses poches ou les huissiers sonnaient à sa porte, il riait. L'argent, ça doit circuler pour qu'il reste vivant et procure du plaisir, vous en connaissez, vous, des morts qui bandent ? De l'appétit, de l'audace, du danger, du désir ! Il n'avait que ces mots en bouche au mépris de toute réalité contraignante. La vie doit rester vivante, il me disait, en me calant sur ses genoux, et pour être vivant, il faut donner, il faut y aller, de toutes ses forces, sans jamais s'économiser. Jamais d'économies, ma fille, ça tue à petit feu ! Mais des risques, foncer la tête baissée. Tu fonceras toujours dans le danger, tu me promets ? Oui, papa, je disais en vérifiant que ma mère n'écoutait pas. Ah ! disait-il en se frottant les mains, celle-là, elle est à moi ! C'est ma fille ! Et il m'envoyait en l'air en me faisant hurler de rire et de peur. Je retombais sur ses genoux, le cœur battant, en demandant encore, encore.

C'était un étranger. Un gitan sombre et exalté. Ses grands-parents vivaient dans une roulotte quand sa mère avait eu l'envie soudaine de devenir sédentaire. A dix-huit ans, elle avait déclaré qu'elle n'irait pas plus loin que Toulon. Il faudrait s'y faire. Comme elle savait parler, qu'elle avait appris la grammaire française et l'orthographe sur les routes, elle avait beaucoup d'autorité. Les hommes défirent les harnais, dételèrent les chevaux et partirent chercher du travail en ville. Bourreliers, chaudronniers ou maréchaux-ferrants, les métiers du voyage. Les femmes rangèrent leurs robes multicolores, coupèrent leurs longs cheveux, ôtèrent le rouge de leurs ongles et le vert de leurs paupières, jetèrent la cigarette et le foulard qui leur barrait le front et rentrèrent dans d'étroites maisons où elles tournaient en rond, se heurtaient aux murs et sortaient pour respirer. Tous, ils s'achetèrent une conduite pour plaire à la « petite » qui voulait devenir une dame immobile.

Seule la grand-mère, diseuse de bonne aventure, s'échappait par la fenêtre dans ses jupons bigarrés pour aller lire les lignes de la main aux jolies passantes sur le port et leur voler leur bourse. Elle rentrait riche ou escortée de deux gendarmes, qui n'osaient pas l'emprisonner de peur qu'elle ne leur jette un sort ou ne les morde de ses belles dents dorées où roulaient des injures pour la maréchaussée.

Indifférente à tant de sacrifices, la mère de mon père, ma grand-mère, poursuivait son rêve, têtue et appliquée. Elle acheta de belles étoffes, se coupa de belles tenues, austères et élégantes, qui lui entravaient les jambes, apprit à marcher les yeux baissés, courba l'échine, loua une chambre dans une pension de famille qui n'accueillait que de vraies jeunes filles, s'inscrivit à des cours de chant, de broderie, et attendit l'heureux élu qui ferait d'elle une dame.

Il se présenta enfin : c'était mon grand-père, héritier d'une verrerie qui possédait des filiales en Italie. Elle prétendit qu'elle était orpheline pour n'avoir pas à inviter sa famille trop bariolée à ses noces. Plus tard, bien plus tard, mon grand-père apprit la vérité et son admiration pour ma grand-mère s'en accrut encore.

Ils eurent trois enfants à qui ils enseignèrent les belles manières, le bon français et l'importance des diplômes. Si les deux aînés suivirent scrupuleusement les conseils de leurs parents et adoptèrent un air sage et une conduite rangée, mon père, le petit dernier, fut un élève récalcitrant. On le retrouvait plus souvent dans les jupons de sa grand-mère sur le port de Toulon qu'à l'école ou aux leçons de catéchisme. Il apprit le boniment, le mensonge qui ensorcelle, l'art de tirer les bourses pleines et de faire les yeux doux aux étrangers trop confiants. Il savait tourner un compliment, s'emparer d'un bras et voler un baiser avant de s'enfuir, enchanté. Il savait aussi raconter des histoires où il convoquait le monde et ses mystères, le soleil et les étoiles, les dieux du Mal et les anges gardiens, et les genoux de ses interlocuteurs tremblaient quand sa voix devenait caressante ou menaçante. Satisfait, il poursuivait ses récits, modelant le cours de ses histoires selon la frayeur ou la ferveur qu'il lisait dans les regards.

De sa mère, il avait gardé l'allure fière et le visage noble, à son père il emprunta le cœur généreux et la faculté de s'émerveiller. Beau, grand, sombre, toujours bien habillé, il s'inventait des vies dignes des plus fiers aventuriers pour impressionner la petite jeune fille effarouchée, ou plastronnait, la main dans le gilet, pour berner la bourgeoise avide. Sa mère le traitait de vaurien, en laissant filtrer une lueur de fierté amoureuse qui démentait ses propos. Il était si beau qu'elle en oubliait parfois qu'il était son fils et s'accrochait à son bras avec un air de propriétaire. « Tu feras comme moi, prunelle de mes yeux, lui disait-elle, tu épouseras une jeune fille de bonne famille qui te fera accéder à la meilleure société et à ses fastes. » Elle lui pardonnait tout et disait en le contemplant : « Cet enfant est un prince... » Sans jamais se l'avouer, elle lui était reconnaissante d'avoir résisté à la vie policée qu'elle s'était imposée, lui sacrifiant sa jeunesse. C'était comme si une petite partie de la gitane qu'elle avait été vivait encore, libre, insouciante et rebelle, dans la démarche roublarde de son fils.

Il rencontra ma mère à une fête foraine, sanglé

dans un costume d'alpaga clair que venait de lui façonner ma grand-mère, faisant claquer la porte d'une Lincoln volée le matin même sur le port. Il se prétendit propriétaire des manèges et des stands de *chichi freggi*, s'inventa un long serpentin de baraques itinérantes qu'il allait vendre afin de partir en Amérique, seul pays où l'on pouvait faire fortune. Il faillit prétendre s'appeler Barnum mais, comme elle n'avait pas l'air idiote, se reprit et garda son nom : Jamie, Jamie Forza, le roi des romanichels, le futur prince de Wall Street. En paix avec lui-même, car il aimait donner un air de vérité à ses mensonges afin d'apaiser sa conscience.

Convoqué par mon grand-père maternel, il discuta cours des marchés, dollars et Nouveau Monde et n'eut aucun mal à obtenir la main de sa fille. Mon grand-père avait décidé qu'à l'âge de dix-huit ans ses enfants devraient avoir quitté son domicile. En guenilles ou en carrosse doré, peu importait. Ma grand-mère ne formulant aucune objection à ce décret brutal, ils obéirent tous, à tour de rôle, conscients d'être un poids, une bouche à nourrir, au grand soulagement de leur père qui put ainsi consacrer son temps à faire fructifier son argent sans que chaque mois ne soit prélevée une somme importante destinée à les vêtir, les nourrir et les chauffer. Débit-crédit, débit-crédit, l'oreille collée à son poste à galène, le crayon survolant les cours des actions dans le journal, multipliant les plus-values et les investissant ailleurs, les

78

gouttes pour son cœur à portée de main afin de prévenir un effondrement des valeurs toujours redouté et qui pourrait lui être fatal.

Deux parmi les cinq enfants éprouvèrent quelque réticence à déguerpir si vite. Deux filles : ma mère et une de ses sœurs qui avait décidé d'entreprendre des études de droit et d'exercer un métier. Elles s'en ouvrirent auprès de ma grand-mère qui ne sut quoi leur dire. C'était comme ça. Il fallait obéir. Au père d'abord, à l'époux ensuite. Ma mère, surtout, avait des doutes. Jamie Forza ferait-il un bon époux ? Elle n'en était pas sûre. « Quelqu'un d'autre t'a-t-il demandée ? » s'enquit ma grand-mère. « Non... Ils me tournent autour. Ils me disent qu'ils meurent d'amour. Mais je suis encore si jeune. Je ne connais rien aux hommes, à la vie. Je voudrais avoir le temps de réfléchir. — Oh ! Tu t'y feras vite... Et si je vous préparais un hachis Parmentier pour le dîner ? Ça te ferait plaisir un bon hachis Parmentier ? »

Mon père épousa donc ma mère et l'emmena en lune de miel en Italie dans une décapotable repérée, la veille des noces, sur le parking de la gare. Il lui fit visiter les verreries qui portaient son nom et cela la rassura. Elle ferma les yeux et laissa pendre sa main par-dessus la portière. Au retour, il l'installa chez ses parents en attendant d'avoir trouvé « une belle situation ». Chaque soir, en lui soufflant sur la nuque de brûlants baisers, il lui expliquait qu'il ne pouvait pas accepter n'importe quel emploi car elle méritait le *nec plus ultra.* Il avait oublié qu'il était propriétaire de multiples cirques, futur spéculateur à Wall Street. « Où sont passés tes caravanes, tes cracheurs de feu, tes femmes-serpents, tes lions dressés, tes manèges volants et tes beignets sucrés ? » demandait ma mère qu'aucun baiser ne pouvait étourdir au point de lui faire oublier qu'elle avait été naguère fiancée au riche roi du divertissement. « J'ai décidé de ne pas vendre et d'attendre un peu », répondait mon père qui s'étonnait d'une telle mémoire.

Ayant épuisé en quelques semaines le pécule remis par sa mère et sa grand-mère afin d'honorer son rang de Prince Charmant, il dut recourir à des expédients pour satisfaire les désirs de sa jeune femme. Il avait beau se démener comme un diable hors de sa boîte, il lui fallait toujours trouver plus d'argent et plus de boniment. Il courait entre l'église où il suppliait la Vierge Marie toute-puissante de jeter un œil favorable sur sa triste situation et les tripots où il jouait l'argent de sa grand-mère qui dévalisait à tour de bras les touristes sur le port. Elle ne prenait plus de précautions et les gendarmes fermaient les yeux, se contentant de prélever leur commission sur les gains de la vigoureuse aïeule qui, en échange, leur promettait bonne fortune et protection. Ma grand-mère, elle aussi, priait la Vierge Marie, égrenait son rosaire à s'en écorcher les doigts, puisait dans ses économies, imposait les mains sur le front de son fils pour attirer l'attention des bons esprits.

Devant tant d'inquiétude douloureuse, mon grand-père fit don à son fils d'une somme d'argent rondelette, l'engageant à l'employer à bon escient et à acheter un appartement. Jamie Forza, soulagé, s'en alla rejoindre sa jeune épouse en lui promettant la lune et tous ses satellites, et déboucha une bouteille de champagne cachée sous un bouquet de roses blanches.

C'est ce soir-là, paraît-il, que fut conçu leur premier enfant. A chaque promesse, à chaque répit, à chaque soupir étonné de ma mère, mon père en profitait pour assurer sa descendance qu'il voulait nombreuse et variée. Il ne se plaisait qu'en compagnie des enfants et avait hâte de voir grandir les siens pour partir avec eux à l'aventure. Il aimait les tribus, les grandes tables croulant sous les victuailles, les lits jumeaux, les trains électriques et les parties de cache-cache. Elle se laissait enlacer car, en plus de son talent de conteur, il savait faire chanter les corps et, une fois sa méfiance endormie, elle ne pouvait que se réjouir d'avoir uni sa chair à celle d'un homme aussi érudit dans l'art des caresses.

Cela aurait pu durer longtemps si Jamie Forza n'avait été, de la plante des pieds au bout des ongles, un véritable gitan que l'or n'impressionne pas et qui préfère brûler qu'épargner. Le mot lui faisait horreur et il crachait par terre si, d'aventure, on le prononçait devant lui. C'est le Diable, grimaçait-il, la mort en liasses qui vous pénètre pour mieux vous étouffer.

L'épargne est la mort des humbles et des craintifs qui renoncent à la vie et se précipitent dans la vieillesse.

Il n'y eut jamais d'appartement ou si... finalement.

Comme son père n'arrêtait pas de lui demander où il en était de ses recherches immobilières, et remarquait avec beaucoup de tact et de gentillesse que la vie d'un jeune couple débutant ne s'accordait pas forcément avec les habitudes d'un autre plus confirmé, ce discours finit par le lasser : il lui encombrait la tête, l'empêchait de battre les cartes, de tricher, interrompait le cours de ses histoires.

Il arriva un jour, la face illuminée, et jeta sur la table de la cuisine un trousseau de clés. De vraies clés en acier chromé avec de larges dents bien découpées, un côté tranchant comme un sabre au clair et une étiquette sur laquelle était marqué son nom suivi d'une adresse. Tout le monde applaudit et se rendit en cortège triomphant jusqu'à un très bel appartement rue des Libellules, dans le quartier chic de Toulon, celui-là même qu'on lotissait de beaux immeubles en verre sur les hauteurs boisées face à la mer. On déposa les casseroles, les lits, les matelas, le frigidaire tout neuf et les berceaux des deux enfants pendant que les adultes s'extasiaient devant les baies vitrées, la vue sur la mer et le vol des mouettes qui passaient en frôlant. Ma mère, tendre et grisée, s'appuyait contre le corps de son mari. Propriétaire ! Elle était enfin propriétaire. Depuis le temps qu'elle en rêvait, qu'elle devait mentir à son père, prétendre que la vie commune avec sa belle-mère l'enchantait ! Ils déroulèrent les matelas, déplièrent les draps, on rangera tout demain, laisse, laisse donc, on va fêter ça au restaurant, déclara Jamie Forza en entraînant sa troupe ébahie chez l'italien du bas de la rue.

Ils n'eurent jamais le temps de ranger, le lendemain...

Des huissiers se présentèrent au petit matin et demandèrent à ma mère — son mari était parti dès l'aube respirer l'air frais du large — ce qu'elle faisait ici, dans l'appartement témoin de la résidence dont le trousseau de clés avait été chapardé la veille.

Ce jour-là, c'en fut fini de sa romance avec le prince des caravanes et de Wall Street. Une haine féroce, nourrie de la peur du qu'en-dira-t-on et de la certitude d'avoir été humiliée, traitée comme une gamine qu'on roule dans la farine, irradia tout son être. Une petite graine de haine germa en elle et ne cessa de croître, chaque jour plus vigoureuse et venimeuse, poussant ses racines dans chaque pore de sa peau, chaque gramme de son cerveau, chaque boyau de ses viscères, la remplissant de fiel, de bile noire et jaune, lui faisant vomir le ciel, la terre et les humains, jusqu'à son propre corps, son corps qui s'était abandonné à cet homme-là, s'était ouvert pour lui, avait recueilli sa semence, mélangé son sang à son sang impur et procréé des enfants hirsutes et maigres, aux yeux d'incendie de pinède. Il avait osé lui faire ça ! A elle ! La fille de son père ! La fille d'un homme qui respectait l'argent, qui régnait sur un parc immobilier, achetait, vendait, accumulait les profits, s'invitait chaque jour à la table des banquiers et tutoyait la Bourse ! Son père, qu'il l'avait forcée à trahir en salissant les valeurs sacrées répandues par le poste à galène et les colonnes serrées des titres boursiers dans le journal ! La colère bouillonnait dans tout son corps, la broyant d'une douleur atroce, la pliant en deux, la roulant de rage muette. Elle pleurait, se lacérait les bras de ses ongles, tordait le tissu de son corsage pour effacer ses seins, que plus jamais ils ne se dressent sous les mains expertes de l'affabulateur, de l'ignoble, du traître, de l'honni. Son mari. L'homme qu'elle avait pris pour mari... Pourquoi ? Mais pourquoi ? gémissait-elle en se frottant les mains, et elle prenait à partie des forces invisibles et hostiles.

Quand il rentra le soir, la veste sur l'épaule en sifflotant, elle se dressa, pâle, dévastée, et lui montra, sans dire un mot, plus aucun air ne pouvant franchir l'espace crispé de ses lèvres, l'entrée de l'appartement où pendaient les deux couvertures de laine qu'elle avait tendues sans rien dire quand les huissiers avaient emporté les portes. Selon la procédure légale, madame, selon la procédure légale, c'est l'usage. C'est l'usage, ma pauvre dame... Il ne s'était même pas étonné d'avoir à pousser des tentures pour rentrer chez lui. Il regarda les deux couvertures qui se soulevaient, gonflées par la brise qui provenait des baies vitrées, il les regarda, pensa aux voiles des bateaux sur le port, aux blouses des filles qui ouvraient des trésors sous ses mains puis, devant son chagrin de propriétaire flouée, il trouva très vite une solution : « Tu n'as qu'à appeler ton père... Il a de l'argent, il paiera ! »

Mon grand-père, celui du poste à galène, paya l'appartement. Donnant-donnant. Il fit promettre à sa fille, en échange, de quitter ce vaurien, ce va-nu-pieds, ce panier percé, sans quoi il ne la verrait plus. Elle ne le pouvait pas. Elle était enceinte pour la troisième fois.

C'était moi. Moi qui grandissais dans son ventre et lui mangeais ses forces, me nourrissais de sa haine, goûtais au plaisir maudit qu'elle recevait, passive, quand elle n'avait plus de vigueur pour le repousser, le jeter hors de son lit, le bannir à jamais. Elle avait vingt-six ans et sa vie était finie. Plus le moindre espoir de s'en sortir, de souffler ses rêves au vent qui les emporterait et les déposerait entre les mains d'un autre, qui viendrait la délivrer. Prisonnière de ce malheur à petit feu qui la réduisait lentement aux tâches ménagères et aux mamelles pleines d'une mère. Elle se laissait faire. Indifférente et sourde. Mettant toute sa rage dans une résistance muette qui soudait ses mâchoires et raidissait son corps si fier. Elle lavait, repassait, chauffait les biberons, se penchait sur les lettres de l'alphabet, étendait les torchons et les couches, préparait les purées et les crèmes anglaises sans que jamais la colère ne la quitte ni que les larmes ne l'apaisent. Elle attendait, le regard sur la mer bleue au loin, sur les mouettes libres et légères, que le temps passe. Elle mesurait ses enfants sous une toise en bois : chaque centimètre pris la rapprochait de la fin de son tourment.

Quand il arrivait en fredonnant, la haine se retournait dans son ventre comme une bête avide ; elle reposait le couteau sur la table pour ne pas lui trancher la gorge. Il l'appelait « ma mie, mon amour, ma toute belle », elle rattrapait la vaisselle qui lui glissait entre les doigts et ravalait ses crachats. Il dansait le cha-cha-cha, ondulait des hanches et lui ouvrait les bras, elle coulait du plomb dans ses pieds et se cognait aux portes. Pourquoi le col de son polo était-il si pointu ? Il avait l'air idiot accoutré de la sorte. Et sa manie de se polir les ongles ? Ça ne blanchissait pas son sang de romanichel. Et cette pince à billets qu'il tirait de sa poche tel un trophée ? Et la mèche grasse qui lui tombait sur l'œil ? Et ses doigts si habiles, petits serpents visqueux et dangereux... Elle détestait en lui chaque détail. Elle le suivait des yeux et allumait des feux sur son passage. Il glissait tel un trois-mâts et la trouvait trop sage.

Il prit l'habitude de rentrer tard puis de ne plus rentrer du tout. Elle prit du travail qu'elle abattait la nuit, ivre de fatigue. Des enveloppes à rédiger avec des adresses compliquées, des ourlets de jupes, des semelles à coller sur des chaussures, des patrons à couper prêts à bâtir. Débit-crédit, débit-crédit, elle pliait des billets qu'elle glissait dans son corsage, préparant son évasion, semblable à un forçat enragé de liberté.

Un jour, enfin, elle fit ses valises, enveloppa les

enfants dans des manteaux chauds et prit le train pour Paris. Quand il revint, trois jours plus tard, les portes des placards bâillaient sur des étagères débarrassées, les rideaux battaient contre les murs, le frigo était vide.

Sur la table de la cuisine, il n'y avait ni mot ni message.

Rien qu'un trousseau de clés en acier chromé avec de larges dents bien découpées dont un côté tranchant brillait comme un sabre au clair.

L'apparence est la forme qu'empruntent les gens pour que les autres ne les voient pas. Ne devinent pas leur malaise intérieur.

Je me fabriquai donc un personnage gai, volontaire, énergique, coquet, pimpant, pin-pon-pin-pon, toujours prête à donner l'exemple, à me plier aux volontés des uns et des autres afin d'éloigner les éclairs que je sentais sans arrêt sur le point d'éclater entre ces grandes personnes si puériles qu'étaient mes parents et qui n'arrivaient pas à se quitter pour de bon. Mon corps se tordit en une ronde endiablée, ma bouche se déforma en un sourire automatique, mes bras dessinèrent des anneaux que je lançais autour du cou de ceux-là mêmes dont je redoutais les orages. J'ignorais ma colère, la rage qui me prenait contre ces deux-là qui se déchiraient devant nous, pour me consacrer à leur bien-être. Faire revenir la paix. Le temps d'un armistice. J'appris à intervenir comme un pompier affairé, à jeter des seaux de bonne humeur sur leurs mines enflammées.

Je jouais si bien ce personnage de lutin qu'il devint mien. J'étais en perpétuel mouvement de peur qu'un calme menaçant, un silence trouble ne s'installe entre ces deux bêtes fauves aux aguets et ne dégénère en cris, insultes, larmes, envoi de projectiles puis claquement de portes.

Mon père était une proie facile. Il me suffisait de me glisser contre lui quand il écoutait Georges Brassens dans son fauteuil profond et de lui murmurer « petit papa d'amour » pour que son grand corps soupire, qu'un sourire fende sa mine et qu'il m'enveloppe de la pression de ses bras affectueux en me psalmodiant « ma fille, ma si belle, mon amour, ma vie ». Tout son désespoir d'être, son incapacité à tenir le cap de bon père de famille se traduisaient dans la pression bouée de ses bras contre moi. Il s'en remettait à moi. Je me faisais toute petite pour l'attendrir davantage, l'entraîner plus loin vers de riants pâturages, toute molle, toute douce, murmurant « encore, encore, papounet, encore », et je sentais, sous mes mots voluptueux, fondre sa colère, contre lui, contre elle, contre le monde qui n'acceptait pas les règles de son jeu et le prenait, sans arrêt, la main dans le sac. Je me collais contre lui, je ronronnais, j'avais gagné.

Ma mère ne se laissait pas faire. « Si tu crois que je ne vois pas ton manège ! » me lançait-elle dès que je m'approchais. Je me tenais à distance. On s'observait.

Elle m'appelait Forza et mettait mon couvert en bout de table.

Ça, c'était quand Jamie était là, sinon elle était plutôt gentille avec moi.

Mes frères et ma sœur avaient décidé, eux, de les ignorer. Ils se bouchaient les oreilles, se bandaient les yeux, se tenaient droits pendant les repas et sortaient de table, la dernière bouchée avalée, glissant le long des murs en une file d'Indiens silencieux. Ils filaient doux et tissaient un voile d'indifférence contre lequel tout ricochait.

Quand papa fut parti, définitivement parti, c'était trop tard pour changer de vie. Chacun y tenait un rôle et j'étais devenue ce petit lutin charmant qui ensorcelait les hommes et menait la danse pour ne pas être scalpée. J'avais enfoui au fond de moi ma rage, mon courroux, mon impuissance à réconcilier mon monde, ma méfiance envers ce beau sentiment qu'on appelait « amour » et qui ressemblait si fort à la guerre.

L'été passait et Gros Job s'incrustait. Le fils Armand avait rejoint le père dans les alpages, après un séjour d'un mois aux *States*. Encore un mot qui déformait les bouches, les remplissait d'un respect mystérieux et creux. Le père Armand disait *States*, le fils Armand disait *States* et bientôt notre mère les imita. On n'entendait plus que ce mot-là, qui revenait comme une référence obligée et allumait dans les regards de ceux qui le prononçaient autant d'étoiles que sur le drapeau américain. Il avait fêté là-bas son vingt-quatrième anniversaire. Dix ans de plus que moi.

Cela ne m'impressionnait guère tant le personnage était falot. Il avait mis toute son énergie à résister pour ne pas reprendre l'affaire de son père et poursuivre ses études dentaires, il ne lui en restait plus pour briller au quotidien, pour s'étaler et prendre possession de son corps. Il était pâle, le cheveu châtain et maigre, la peau blanche piquée de petits boutons rouges, l'œil marron, la poitrine concave et les épaules tombantes. Il ressemblait à un édifice branlant. Si gêné d'exister qu'il semblait continuellement s'excuser de quelque chose. Se lissait les cheveux du plat de la main, frottait ses doigts contre son menton, tirait sur son short ou suçait son col de chemise. Son embarras se trahissait aussi par un ricanement enfantin, presque espiègle, qui éclatait sans raison et surprenait chez un être déjà adulte. Devant son père, il filait doux et acquiesçait, telle une épouse soumise, à toutes ses demandes.

On ne se quittait plus, les Armand et nous. Le seul obstacle à une réunion totale était la présence de Tonton qui dérangeait les plans de notre mère. Elle ne le supportait plus et ne s'en cachait pas. Ouvrait grand les fenêtres quand il était resté trop longtemps dans une pièce, lavait frénétiquement ses draps et ses chemises pour « chasser l'odeur », le morigénait s'il se curait les dents ou mettait les coudes sur la table. De bailleur de fonds il était devenu empêcheur de tourner en rond. Elle ne savait plus comment s'en débarrasser et désespérait d'y parvenir. Plus elle s'énervait, plus il la regardait, rougissant, ébahi, se faisant de plus en plus petit, mais ne cédant pas un pouce de territoire à l'ennemi. Car il avait compris, Tonton. La nuit, dans sa couchette au sous-sol, près de la chaufferie, il ruminait des plans pour évincer son rival et revenir trôner dans le fauteuil-crapaud.

Ma mère commit une faute tactique en espérant l'éliminer sans autre forme de procès. Son sang de boutiquier se révolta. Il calcula ce qu'il avait dépensé en vain. Il n'allait pas tarder à prendre sa revanche, qu'il mitonnait en boudant d'interminables heures, drapé dans son uniforme de quincaillier, les doigts s'agitant sur une calculette imaginaire dont le total lui faisait bouillir le sang et échafauder des stratégies d'éviction.

Alors on le semait. On s'esquivait sur la pointe des pieds, le laissant seul dans le chalet. On partait en randonnée dans les montagnes, on dormait dans des refuges, notre mère nous disait de respirer bien fort l'air pur et étreignait la main de son compagnon. Le fils Armand se rapprochait de ma sœur ou de moi, nous tenait le bras, nous attirait contre lui ou nous soufflait son haleine dans le cou, en lançant des clins d'œil de mâle complicité à nos deux frères qui s'en moquaient et demandaient sans arrêt : quand est-ce qu'on s'arrête ?

On mangeait des fondues arrosées de vin blanc. Maman fermait les yeux et nous vidions les verres. L'apprenti dentiste me faisait boire et je ne me méfiais pas. Il en profitait, tendait une main insistante sous la nappe blanche à carreaux rouges. Je le repoussais en soufflant, bataillais contre ces pieuvres curieuses et cherchais du regard quelqu'un qui viendrait m'en délivrer. Ma grande sœur avait réussi à s'en débarrasser et semblait me dire « à toi, maintenant ! », mon grand frère pouffait et faisait des bras d'honneur, maman s'alanguissait contre Henri Armand, jouait avec ses doigts, les baisait un à un en leur donnant des petits noms. Le café, le pousse-café. Mes frères et ma sœur s'endormaient pêle-mêle sur les bancs...

J'étais seule. Je n'avais pas peur. Je me disais simplement que le jour où il faudrait me défendre pour de bon, c'est toute cette belle harmonie familiale, presque conjugale, que je ferais voler en éclats.

Je n'avais pas envie que cela arrive trop vite. J'aimais la voir heureuse, amoureuse, petite fille reposée, enfin arrivée au port. Elle poussait des « Oh » et des « Ah » chaque fois qu'Henri Armand expliquait la fonte d'un glacier ou le pourquoi d'une avalanche, s'alanguissait contre lui et me lançait des baisers que j'attrapais et m'appliquais comme autant de gouttelettes de parfum précieux. Je les humais, les léchais, les embrassais. Elle éclatait de rire et recommençait et c'était comme un aller-retour d'amour fou entre nous. Qu'elle était belle, abandonnée ainsi ! Je ne le voyais pas, lui. Il me suffisait de la découper, elle, avec ses longues jambes qui jaillissaient de son short blanc, ses bras dorés, ses épaules rondes sur lesquelles elle faisait glisser son bustier, ses cheveux noirs qui s'allumaient au soleil et les rayons d'amour dont elle me bombardait, insouciante à la dépense. Je fermais les yeux, l'épinglais telle quelle dans un coin de ma mémoire et oubliais le jeune homme hésitant et libidineux qui se tortillait pour se rapprocher de moi.

C'était l'été. Les torrents des glaciers ruisselaient en mille petits filets argentés autour de nous, les tartes à la myrtille recouvertes de bonne crème blanche disparaissaient sous nos coups de dents, la pierre chaude des rochers servait de litière pour nos siestes de « trop manger », et la voix claire de notre mère s'élevait pour nous fredonner une de ces chansons d'enfance que lui chantait sa mère, et avant elle sa grand-mère, son arrière-grand-mère et...

On s'endormait. Chacun faisait la sieste de son côté. Ma mère et son compagnon s'enfermaient dans les refuges, toujours déserts dans la journée, nous, les enfants, nous éparpillions, qui sur un rocher, qui dans une grange à foin ou une bergerie. On dénichait chacun son coin et c'était un jeu nouveau de ne pas être trouvé.

C'est là, dans une de ces constructions de pierres branlantes au crépi écaillé, dont le toit s'ouvrait par de larges trous d'ardoises manquantes sur un ciel toujours bleu, que l'incident se produisit, un jour de « trop manger ». J'étais allée m'y reposer après trop de sandwichs, de lait concentré et de tartes à la myrtille dégoulinantes de crème fraîche. La tête me tournait, des insectes bour-

93

donnaient autour de mes joues brûlantes et je les chassais d'une main molle et lasse. J'avais ouvert la fermeture éclair de mon short et enfoui ma somnolence lourde dans un coin de grange. Il entra et j'entendis résonner son rire d'adolescent gauche et fiévreux. Il s'était déguisé en fermière, avait noué une serviette sur sa tête, retroussé son short, noué un torchon autour de ses reins, roulé ses chaussettes sur ses chevilles et tenait à son bras le panier de provisions, vide.

— Tu me trouves comment ? demanda-t-il dans un petit rire aigu.

Il était grotesque, travesti en paysanne. Grotesque et menaçant. Je reculai dans le foin et cherchai des yeux une faux, une herse, une charrette, n'importe quoi pour me défendre, me protéger.

— Ne suis-je pas charmante ainsi ? insista-t-il en se déhanchant. Je peux venir me reposer près de toi...

Je calculai la distance entre lui et moi et m'enfonçai dans la meule de foin, cherchant toujours l'outil qui le tiendrait hors de portée et découragerait ses avances. Il n'y en avait pas et personne n'entendrait mes cris.

— Tu n'es pas drôle, dis-je d'une voix pâteuse.

— Ah...

— Pas drôle du tout...

Il se rapprocha. Posa le panier. Avança dans le foin, son fichu de paysanne noué sur le menton, le torchon-jupe entravant sa progression maladroite. Il se rapprochait et je ne pouvais plus reculer. Il avança la main jusqu'à l'ouverture de mon short, l'agrippa et se jeta sur moi, rouge, les yeux fous. Je me débattis et le repoussai mais il était plus fort que moi et, bientôt, je me retrouvai immobilisée sous lui, toujours ricanant et affublé de sa serviette sur la tête.

— N'aie pas peur, n'aie pas peur, je suis une gentille fermière qui vient livrer ses œufs...

Il s'accrochait à moi, à mon torse lisse et nu. Je le frappai, lui griffai le visage et le cou mais il continuait, déchirant mon tee-shirt, baissant mon short et égrenant son petit rire d'idiot fébrile. Bientôt il fut nu contre moi et essaya de me forcer. Je ne renonçai pas et lui décochai de toutes mes forces un coup de genou entre les jambes. Mon frère aîné m'avait appris que c'était le seul moyen efficace de se débarrasser d'un homme menaçant. Il avait raison. Une grimace déforma la bouche de la gentille fermière, le nœud du fichu glissa entre ses dents, formant un mors qui accentuait son rictus imbécile, et il roula sur le côté, se tenant les genoux et gémissant. Je sortis en courant de l'abri et, me rajustant comme je le pouvais, me précipitai jusqu'au refuge pour avertir ma mère. La porte était fermée. Je m'écroulai et criai : « Maman, maman. » Elle n'entendait pas.

Quand elle ouvrit, enfin, que son regard tomba sur moi, tout le sang-froid et l'énergie que j'avais rassemblés pour me défendre m'avaient désertée et je n'étais plus qu'un petit tas terrifié qui essayait de comprendre ce qu'il venait de lui arriver.

— Il a... Il m'a... j'ai... là-bas...

Elle regardait ma tenue défaite, mes lambeaux de tee-shirt déchiré, mon short encore ouvert et tentait de me calmer. Elle me prit dans ses bras et murmura :

— Là... là... qu'est-ce qu'il y a ?

— Là... dans la grange... Il est venu... Il était déguisé et...

— Mais qui, ma chérie ?

— Tu sais bien... Lui, là...

— Mais qui, lui ?

— Lui... Le grand... Le fils de...

Alors l'ombre d'Henri Armand, gigantesque et noire, se découpa sur le pas de la porte du refuge et je me mis à trembler encore plus fort. Il me sembla qu'il me regardait sévèrement et, pendant un moment, je ne pus plus parler.

— Qu'est-ce qu'elle a ? demanda-t-il de sa voix posée d'homme qui domine le monde.

— Je ne sais pas, dit ma mère. Elle tient des propos incohérents...

Puis, me serrant contre elle, elle passa ses longs doigts fins sur mon visage et effaça mes larmes.

— Raconte-moi... Tu peux tout dire à maman...

J'apercevais les longues jambes poilues et musclées d'Henri Armand, son short beige, sa chemise mal reboutonnée et, surtout, je sentais sur moi son regard d'homme tout-puissant qui me réduisait au silence.

— Dis à maman...

— Il est venu dans la grange... Il était déguisé en fermière... Il avait mis un fichu...

— Mais qui ? s'impatientait ma mère.

— Elle divague, tu vois bien qu'elle divague, reprit Henri Armand. Elle veut attirer ton attention parce que... Enfin, tu comprends... C'est de son âge...

— Elle ne fait jamais d'histoires d'habitude, ça ne lui ressemble pas, disait ma mère, en me berçant contre elle.

— Il suffit d'une fois... On en a vu des adolescentes enflammées s'inventer des histoires pour se faire remarquer. Allez, il ne faut pas entrer dans son jeu. Ce n'est pas un service que tu lui rends...

— Tu crois vraiment ? demanda ma mère, relâchant son étreinte et scrutant mon regard.

— Elle est jalouse, c'est tout... C'est évident.

A ce moment-là, j'entendis des pas et me retournai. C'était la gentille fermière sans fichu ni panier qui avançait vers nous en aplatissant ses cheveux, le regard tombant sur ses chaussettes roulées. Je me recroquevillai contre ma mère et le lui montrai du doigt.

— C'est lui... Il m'a grimpé dessus dans la grange...

Henri Armand éclata d'un rire profond et moqueur.

— C'est la meilleure ! Mon fils ! Dans la grange ! Avec cette gamine !

Se tournant vers son fils, il lui fit signe de le rejoindre :

— Viens par ici, toi !

Nous étions tous les quatre, la mère et la fille, le

97

père et le fils, et la vérité allait enfin éclater. Fini les balades avec Gros Job et son fils, on allait retrouver nos fous rires et nos secrets d'avant, à l'ombre inoffensive de Tonton. Et même si elle devait souffrir un peu, remonter son bustier et ranger ses longues jambes dorées, à nous quatre, nous saurions la consoler. On lui avait bien suffi pendant toutes ces années !

— Tu viens d'où ?

— Ben... Je faisais la sieste comme tout le monde... répondit le fils sans me regarder.

— Tu faisais la sieste où ?

— Là-bas, sur les rochers. Pourquoi ?

— Tu n'étais pas dans la grange par hasard ?

— Et qu'est-ce que j'aurais fait dans la grange ?

— Tu aurais fait des avances à cette enfant...

— Moi ? Ecoute, papa, tu me connais... J'ai assez de copines à la fac pour ne pas m'intéresser à une gamine même pas formée !

Il éclata de son petit rire étranglé, devenu méprisant, et haussa les épaules.

— C'est elle qui me cherche ! Elle arrête pas de me courir après ! Cent fois j'ai voulu t'en parler. Je voulais pas faire d'histoires pour si peu, c'est tout.

Il avait pris le ton ferme et maîtrisé de son père et lui parlait, pour une fois, d'égal à égal.

Henri Armand se retourna vers ma mère.

— Tu vois ! Elle a voulu se faire remarquer... Elle lui a fait des avances et ça n'a pas marché. C'est une allumeuse, ta fille. Je l'avais déjà remarqué ! Ça a besoin d'être repris en main et sans délai. Tu es trop bonne avec eux. Ce n'est pas de ta faute, tu ne peux pas tout faire. C'est le problème des femmes seules qui élèvent des enfants sans leur père. Et quand le père n'est pas à la hauteur, en plus...

Il lâcha un soupir, plein de sous-entendus, que je recueillis comme une trahison. Nous n'étions plus deux contre deux : j'étais seule contre trois. Je m'écartai violemment de maman et attendis qu'elle se prononce. Elle semblait embarrassée et je lâchai d'un seul coup telle une vipère dressée, prête à mordre :

— Il n'a pas le droit de parler comme ça de papa. Ça ne le regarde pas ! Il ne fait pas partie de la famille !

— Oh ! Elle retrouve vite ses esprits pour une petite fille molestée ! Elle passe vite des larmes aux insultes ! Et tu voudrais qu'on croie à ta comédie ? riposta Henri Armand en s'adressant à moi. Tu devrais avoir honte ! Je t'assure, ma douce, ces enfants ont tout simplement besoin d'un père qui les visse, et je m'y entends pour ça !

Sa main vint se poser sur l'épaule de ma mère et lui massa tendrement le cou. Elle s'appuya contre cette main puissante, réconfortante, qui mettait fin à sa solitude. L'image d'un homme à ses côtés, qui la soulagerait de sa peine et lui ferait vivre, enfin, une existence douce et confortable, acheva de dissiper ses doutes. Henri Armand avait raison : elle ne pouvait pas tout faire et ses enfants en profitaient. Elle les avait trop longtemps admis dans son intimité, les avait élevés au rang de complices, de confidents. Ils devaient retourner à leur rôle d'enfants disciplinés et obéissants. Il allait mettre de l'ordre dans sa vie, elle s'en remettait à lui, à sa force d'homme qui ne doute jamais et possède le secret de la vérité. Elle se rangea à ses côtés.

— Tu devrais avoir honte d'inventer ces histoires, me dit-elle. Va te débarbouiller. On en reparlera ce soir, toutes les deux.

J'étais bafouée, trahie. Plus grave encore : j'avais perdu l'amour de cette femme que j'aimais plus que tout au monde. Chassée du paradis terrestre, j'oubliai le combat dans le foin et ne pensai plus qu'à cette terrible défaite : ma mère avait cessé d'être ma mère. J'avais perdu son amour. Ma raison de vivre. Pour qui allais-je donc me battre dorénavant ? Quelle silhouette lumineuse allais-je découper pour la coller dans mes rêves nocturnes ? Qui serait assez beau et fort, charmant et cruel, malicieux et rusé, tendre et impitoyable, en un mot assez romanesque, pour la remplacer ?

Je ne pleurai pas. Je ne protestai pas. Je ravalai ma rage et repris ma danse de lutin charmant, légèrement contusionnée. Je me jurai de me méfier des hommes forts et des femmes qui aiment les hommes forts. J'avais un trou dans le cœur, un grand trou noir et vide. J'avais perdu mon idole et ne voyais autour de moi personne pour prendre sa place. Je me réfugiai dans des histoires, de belles histoires que je me racontais dans le noir, luttant contre le sommeil, où je créais mille personnages, mille rebondissements, mille fins tragiques ou heureuses qui, seules, m'apaisaient. Je commençai par les dérouler dans le secret de mes nuits puis les consignai sur un cahier où j'avais pompeusement écrit : « Strictement personnel. A détruire si je meurs. »

C'est ainsi que m'est venue la faculté d'écrire, d'inventer des histoires qui devaient toutes être assez longues, assez fournies, assez rocambolesques pour distraire ma solitude, combler mon besoin d'amour, effacer mes échecs et me dessiner un avenir radieux.

Parfois, la vie, pleine de mansuétude et de générosité pour ceux qui s'accrochent à elle et continuent d'espérer, m'adressait un clin d'œil et m'offrait gratuitement un épisode de feuilleton que je n'aurais même pas osé inventer ! Des années plus tard, je lus dans les journaux l'arrestation d'un dentiste qui avait pris l'habitude d'endormir ses patientes et de les violer. C'était le fils Armand. Il écopa de quinze ans ferme de prison. Ce jour-là, devant mon journal déplié et mon bol de café fumant, je fermai les yeux et remerciai qui de droit de m'avoir vengée de si belle façon.

Je ne sus jamais, cependant, comment réagit le père, cet homme aux mollets d'acier qui dominait le monde. Un jour, à la fin de l'été, alors que nous revenions d'une de ces randonnées qui étaient devenues des corvées — je passais mon temps à fuir le regard triomphant du faible qui m'avait abusée et s'en était tiré —, nous trouvâmes, cloué sur le portail de notre belle propriété, un écriteau en bois : « A vendre. S'adresser à l'agence Mouillard en ville. » Tonton, muni des papiers du chalet et des factures prouvant qu'il avait tout payé, avait mis fin à notre aventure de propriétaires fonciers. Henri Armand s'en étonna et promit de poursuivre le malotru. Il connaissait des gens haut placés, des avocats, des notaires, des experts, cela ne se terminerait pas comme ça. Mais, devant les explications embarrassées de ma mère qui dut bien avouer que Tonton était l'unique propriétaire, il changea de ton et on ne le revit plus.

Je voulais tout savoir d'elle. La connaître petite fille, la suivre pas à pas dans l'histoire de sa vie. Je n'avais pas besoin de beaucoup la forcer pour qu'elle raconte. Elle avait envie de faire peau neuve, de se délivrer de son passé pour se remettre, toute nouvelle, entre mes mains. Elle possédait, à la fois, une innocence de petite fille et une rouerie de femme qui connaissait la vie. On ne la lui faisait pas ! Elle avait déjà tout connu ! Elle disait ça en soupirant telle une vétérante de l'amour. Et, en même temps, elle me demandait avec émerveillement si ça ne m'ennuyait pas d'entendre tout ça.

Ça ne m'ennuyait pas. Ça m'irritait. Ou m'attendrissait. Je la détestais et j'avais envie de la protéger. Parfois, j'avais envie de lui dire arrête, arrête, tais-toi, mais c'était plus fort que moi, il fallait que je sache tout d'elle, que j'aie toutes les cartes en main.

Je voulais qu'on reparte de zéro, elle et moi. Que notre histoire ne ressemble à aucune autre. Je savais qu'elle n'avait pas froid aux yeux. C'est elle qui m'a relancé après notre première rencontre. Avec beaucoup d'audace et de savoir-faire. Avec gourmandise aussi. Elle m'a appelé en me demandant le titre d'un livre dont je lui avais parlé ce soir-là, à table, et dont elle ne se souvenait pas. J'ai compris que ce n'était qu'un prétexte. Je lui ai proposé de le lui envoyer. Elle n'a rien dit.

Ou de le lui porter.

Elle a dit oui.

C'est ainsi qu'on s'est revus et, très vite, elle m'a fait comprendre qu'il ne tenait qu'à moi... Ce même soir, on a basculé dans son lit. Un grand lit blanc qu'elle venait de recevoir le matin même. C'est un signe, disait-elle, c'est un signe, et elle se coulait, frétillante, contre moi.

Elle mentait sûrement. Elle devait raconter cette histoire à chaque fois. Elle savait y faire avec les hommes. Elle savait les flatter, les rendre importants quand le besoin d'eux se faisait pressant...

La première nuit, je ne l'ai pas touchée. J'étais jaloux déjà, terriblement jaloux. C'est même le premier sentiment qu'elle a éveillé en moi. Dès que je l'ai vue, à cette fête, j'ai détesté tous ceux qui l'approchaient et si je suis parti, si vite, si brutalement, c'est que je n'arrivais plus à me contenir.

Je lui ai posé mille questions dans le grand lit blanc. Impitoyable et menaçant quand elle ne répondait pas. Elle s'impatientait, se retournait contre moi, se collait à moi, cherchait mes mains, ma bouche mais j'ai tenu bon. Je voulais qu'elle comprenne que je n'étais pas comme les autres. Qu'elle n'allait pas me prendre et me jeter. J'avais tellement de choses à lui dire, à lui offrir, à lui faire connaître. Je réclamais du temps, une éternité de temps. Je voulais construire des rêves avec elle, des voyages, des aventures, déterrer de vieux mythes et leur rendre vie, la hisser au sommet de mon Olympe et que les Dieux se retournent sur elle. Se retournent sur nous.

J'avais faim d'elle, faim de son corps. Mais je voulais être celui qui décide, celui qui mène le jeu. Elle m'était déjà trop importante pour que je prenne le risque d'être un amant comme les autres.

Je voulais être son dernier amant, l'homme ultime de sa vie.

A l'âge de dix-sept ans, je pris un amant. Un petit ami ou un fiancé comme il est coutume d'appeler l'homme à qui revient l'honneur de la première perforation et des premiers ronflements, bras en croix, sur votre flanc, une fois le labeur achevé.

Il était beau, grand, sentait bon l'eau de toilette et

le chef de bande musclé, dansait le rock à la perfection, cultivait l'art de sourire avec ironie (c'était plus chic et lui donnait « un air »). Il ne connaissait ni l'angoisse ni le doute mais le goût de la bière et la pratique des filles. Il faisait l'amour avec la science séculaire de ses ancêtres normands, moustachus et gourmands, et l'entrain cadencé d'un bûcheron canadien. Il me regardait ni de trop loin ni de trop près, arborait un air de propriétaire satisfait de son achat, critiquant un bouton, une mèche, un ongle mal taillé, mais vantant la bonne marchandise, en faisait saliver plus d'une, ce qui constituait à mes yeux sa plus grande qualité. Je le présentai à ma mère qui le trouva à son goût et à ma grand-mère maternelle qui ne comprit jamais quel plaisir je pouvais prendre à faire l'amour sans y être sommée.

— Comment peux-tu faire « ça » par plaisir ? me demandait-elle souvent en roulant des yeux effarés, remplis de cauchemars, de souvenirs de nuits de brutalité, de prises à la hussarde. Le plaisir est si sale. Et pourquoi appelle-t-on ça « plaisir » ? Moi, il a fallu me forcer le soir de mes noces et que je déguise mon dégoût par la suite. Je fus bien soulagée, une fois mes cinq enfants mis au monde, d'apprendre qu'il avait une maîtresse en ville sur laquelle se vautrer...

Ma grand-mère avait fait un mariage de raison. De devoir familial, pourrait-on préciser. Grâce à ses épousailles, la vaste maison de famille et les terres adjacentes ne seraient pas vendues. Le pécule amassé par mon grand-père, petit paysan parvenu qui avait fait fortune dans le textile sans passer par l'école, sauvait la mise. Elle avait essayé de persuader sa mère qu'elle ne pouvait pas se marier, qu'elle en aimait un autre, plus modeste mais si doux qui, chaque fois qu'elle l'apercevait, faisait sauter son cœur hors de sa poitrine. Sa mère lui répondit que la vie n'était pas une partie de plaisir, que l'amour était une comptine qu'on fredonne en brodant le linge ou en cherchant le sommeil, mais arrivait un jour où il fallait renoncer à ses fabulettes et prendre un époux. Un homme sérieux qui ferait honneur à la famille, pas ce petit représentant de commerce avec lequel elle l'avait vue danser les soirs de bal, qui courait les routes pour amasser quatre sous et transportait des valises de boutons et de bretelles. On se mariait, on faisait des enfants, on « tenait » sa maison, on obéissait à son mari comme on avait obéi à ses parents sans se poser de questions. C'était le rôle de la femme. Il en avait toujours été ainsi.

Ma grand-mère inclina donc la tête et se soumit, mais son cœur ne cessa de battre pendant près de cinquante ans pour ce premier amour qu'elle avait dû repousser, le seul homme qu'elle aima jamais et qu'elle fut forcée d'oublier.

Oh ! Pas tout à fait... Il lui envoyait ses vœux chaque année à Noël, d'une écriture haute et droite, à l'encre violette, sur une petite carte festonnée de doré, qu'elle tirait de son tablier pour nous prouver qu'elle avait été et qu'elle était follement aimée. Elle la portait presque toujours sur elle, la faisant passer d'une poche de tablier à un sac en cuir noir les jours de messe et de cérémonie, et, quand l'époque des vœux arrivait, elle échangeait l'ancienne contre la nouvelle. Le texte ne changeait pas. Il lui renouvelait son amour pur et indéfectible en termes châtiés, signalait son adresse nouvelle quand il déménageait, donnait des nouvelles du temps, des fleurs, des arbustes, des rosiers qu'il avait plantés dans son petit jardin.

Une année, il pleura le décès d'un mimosa, ramassé sur le couvercle d'une poubelle et replanté chez lui. L'arbuste s'y était plu et, requinqué, avait délivré, dès l'année suivante, une floraison dorée et duveteuse qui éclairait le jardin. Puis, sans aucune raison, il s'étiola, se dessécha, s'ourla de marron et mourut. « Autant de soleils qui réchauffaient mon modeste logis », écrivait cet homme fin et effacé dont le seul tort avait été de ne pouvoir aligner autant de lingots que mon grand-père. Grand-mère acheta un mimosa, en pot, qu'elle plaça sur la fenêtre de la cuisine et considérait avec mélancolie pendant que sa pâte à crêpes ou ses chaussons aux pommes reposaient. On avait baptisé l'arbuste nain « l'amoureux de grand-mère » et on la surprenait parfois en contemplation muette face à son pot de perles jaunes, les yeux brillants de larmes et le mouchoir roulé, broyé dans la paume de sa main. On lui bandait les yeux de nos doigts écartés, elle sursautait, secouait la tête pour chasser son rêve et retournait à ses fourneaux. Pendant quelque temps, nous eûmes en entrée à chaque déjeuner des œufs mimosa qu'elle disposait sur un plat « comme autant de soleils qui réchauffaient »... son cœur.

Elle élevait ses cinq enfants comme on le lui avait appris : bonne chère, pâte pétrie, thermomètre dans le derrière, laits de poule, pierres chaudes au fond du lit les soirs d'hiver, cache-nez tricotés (une couleur pour chaque enfant), confitures maison et une vigilance distraite mais mécanique de mère poule affairée. Elle accomplissait son devoir avec le plus grand soin, répétait les gestes de sa mère, s'étonnait même de savoir si bien y faire. Ses petits ne manquaient de rien, sa maison était parfaitement tenue mais son cœur vagabondait ailleurs, dans les hauteurs de Nice où son vieux prétendant s'étiolait et se racornissait loin d'elle. Elle n'était pas triste pour autant, aimait rire, chanter les *Play-Boy*, de Jacques Dutronc, jouer au rami, à la belote, engloutissait des gâteries sucrées qu'elle rangeait dans des boîtes en fer, sa taille s'alourdissait, ses pieds la faisaient avancer tel un dodu canard mal assuré. Ses enfants entraient et sortaient, tiraient son tablier, réclamaient un baiser, offraient de bonnes notes ou des fronts enfiévrés, se mariaient, enfantaient, divorçaient, aimaient, pleuraient, elle les regardait, comme Catherine Langeais à la télé. Gentiment, poliment, disant : « Elle est mignonne, hein ? Et coquette... » Jamais en larmes ni en colère : son cœur était ailleurs. Elle faisait de la figuration dans sa propre vie et assistait, amusée, à toute cette agitation autour d'elle. Satisfaite aussi : elle avait rempli son devoir, sa mère, là-haut dans le ciel, pouvait être fière d'elle. Ainsi que sa grand-mère et son arrière-grand-mère. Une lignée de femmes fortes et soumises, aptes au devoir. Plus elle avançait en âge, plus il lui semblait qu'elle avait été une bonne fille. Et même ces cartes de vœux qu'elle gardait dans sa poche, ce n'était pas un péché ! Sa maman devait lui pardonner, là-haut dans le ciel. C'était une faiblesse bien petite, elle ne s'en confessait jamais auprès de monsieur le curé.

Quand mon grand-père mourut, elle avait soixante-seize ans. Elle attendit quatre à cinq semaines que le deuil s'estompe, que les larmes sèchent, puis se hissa dans un taxi qui l'emmena à Nice.

Elle me raconta tout, les yeux écarquillés et vides. Une enfant qui quitte un rêve et se retrouve brutalement dans la réalité. La petite maison, le jardinet, une femme de son âge qui lui ouvre le portail. Elle a le cœur qui bat fort, très fort, elle gravit les marches avec difficulté, « ces fichus cors... », regarde la femme sur les marches, dit : « Bonjour, madame, excusez-moi de vous déranger » parce qu'elle est bien élevée, qu'elle n'oublie jamais de dire « bonjour, merci, comment allez-vous ? je ne vous dérange pas ? », et elle ajoute : « Je suis mademoiselle Gervaise... » Elle a l'audace tranquille des cœurs simples et purs. Pour la première fois de sa vie, c'est elle qui décide, elle qui se dégage du joug de l'habitude, des conventions. Cet usage soudain d'une liberté ignorée l'essouffle et la chavire mais elle tient bon et regarde la femme en tablier sans ciller.

Elle n'a pas fini sa phrase que la dame s'écrie : « Oh ! mademoiselle Gervaise, mon frère vous a attendue toute sa vie. Il est parti, il y a trois mois. » C'était donc sa sœur ! Et elle qui avait cru un instant qu'il avait refait sa vie ! Et les deux femmes de pleurer, les bras dans les bras, le nez gouttant sur l'épaule de l'autre, la poudre de riz qui se mélange, le sac à main frottant contre le sécateur glissé à la taille, luttant pour ne pas perdre l'équilibre, et de rentrer toutes voûtées, enlacées, parlant du mort, de ses rosiers, du mimosa, de la carte de vœux rédigée avec soin chaque année, de l'espoir que, jusqu'au bout, il avait gardé. « Il ne voulait pas que vous sachiez qu'il n'était plus là, il avait préparé cinq ou six cartes à vous envoyer pour les prochaines années, après il disait que ce ne serait plus la peine... C'est qu'on n'est plus toutes jeunes, hein ? »

« C'est là que j'ai vieilli d'un coup, m'avait dit ma grand-mère, lui parti, je n'avais plus de rêves... »

Jusqu'à la fin, elle a gardé son air de « j'espère que je ne vous dérange pas », son air correct de femme jetée dans le mariage comme dans un cahot de route et qui attendait qu'un modeste retraité vienne la délivrer.

A la fin, elle ne reconnaissait plus personne mais parlait de la petite maison, du perron, des rosiers, du monsieur qui jardinait et écrivait tous les ans une carte de vœux. Ses cinq enfants défilaient auprès de son lit, chiffonnaient la couverture pour réclamer un peu d'attention, l'appelaient « maman maman... ». Ils avaient beau être grands, de vrais adultes, avec des voitures, des carnets de chèques, des enfants, de belles situations ou de moins belles, des mariages qui tenaient la route ou avaient dérapé, ils voulaient qu'elle redevienne une « maman » et veille sur eux, encore un peu. Mais elle ne les « remettait » pas et s'en excusait. Toujours si polie, si douce, si bien élevée. Absente. Sa manière à elle de résister à ce mari, ces enfants, cette vie qu'on lui avait imposée.

Ma vie de femme commençait à ce Normand robuste et sûr de lui qui me donna le goût de l'amour physique. A son insu.

Bien qu'il fût, au moins au début, un initiateur appliqué et attentif, persuadé qu'il était en tout point le meilleur amant du monde et qu'une femme passée entre ses bras se devait d'être comblée, le plaisir me fut révélé non par sa science, limitée car mécanique, mais par sa robustesse qui lui permettait de me transporter dans des ébats pour le moins acrobatiques où je découvris la recette presque automatique de ce qu'il est convenu d'appeler du vilain nom d'orgasme.

Ce n'est ni à la tendresse, ni à la générosité, ni au savoir parfait de mon amant que je dus ce cadeau sublime de l'existence qui fait patienter le désespoir et vous remet dans la vie lorsque vous avez commis

111

l'imprudence de vous en écarter, mais à sa large car-
rure, ses bras musclés, son souffle long, son endurance
et à mon sens exacerbé de l'observation qui me permit
d'explorer mon corps, de l'essayer, de le tordre, de le
diriger afin de parvenir à l'éblouissement final dont il
se réservait tous les lauriers qu'il portait en perma-
nence tressés sur le front.

Mon plaisir, sa force et l'état de faiblesse dans
lequel il me précipitait décuplaient l'assurance et la
virilité de mon amant. Il bombait le torse, se frisait
des moustaches imaginaires et me tapotait le crâne
comme à un bon chien fidèle auquel la soupe de son
maître fait couler de pâles filets de bave le long des
babines. Il ignorait tout de mes apprentissages secrets
et fut fort dépité quand, me proposant de l'épouser,
tel César offrant une place sous sa toge à une pauvre
Gauloise égarée, je lui tirai ma révérence et partis
continuer mes expériences avec d'autres que lui.

Je possédais la formule magique et n'entendais pas
me limiter à ce seul exemplaire de virilité affichée. Je
n'allais pas m'arrêter en si bon chemin et me promet-
tais une kyrielle d'autres raffinements avec des mâles
plus ardents, moins arrogants, qui devineraient autre
chose en moi qu'une épouse parfaite qui pond des
enfants, tient une maison et lustre les pompes de son
mari lors des dîners avec le patron.

— Elle est bien roulée, ta copine, dit un de ses potes, autour de la table de poker, en me jetant un regard de loin, par-dessus ses cartes, l'attention relâchée le temps d'une pause, le dos voûté, la main caressant une cannette de bière.

Je repose sur un canapé, les jambes en l'air, j'ai lu dans un journal que c'était bon pour la circulation, que ça faisait de belles jambes, c'est mon capital, mes jambes, essayant de trouver le sommeil malgré les nuages bleutés des cigarettes et les « tu vas nous chercher d'autres bières, ma puce ? ». Je sommeille, je gigote sur les coussins trop durs, me tourne sur la tranche droite puis sur la gauche. J'entends les mots et ne les entends pas. Pense au lendemain et à tous les lendemains qui se ressembleront avec cet homme-là. Inventer, désirer, plus grand, plus fort, pourquoi pas ? sont des mots qu'il ne connaît pas. Ou qu'il a rayés de son vocabulaire. Trop compliqués. Je ferme les yeux.

— Elle a de jolies jambes... Je passe.

— Ce n'est pas tellement les jambes mais les cuisses qui sont belles, professe mon fiancé en contemplant son jeu. Je demande à voir...

Et il abat son jeu. Et j'abats mon regard sur mes jambes que je vois avec ses yeux à lui. Je les coupe en deux : les jambes et les cuisses. Isole les unes des autres. Avec lui, je deviens cul-de-jatte, c'est sûr. Je ne sais que penser. Les recolle et me dis que j'y penserai plus tard.

Quand même, c'est une drôle d'idée de me découper en morceaux...

Grâce à lui, j'avais découvert les ressources infinies de mon corps, mais pour le reste, les ressources infinies de mon âme, j'étais moins avancée. Je souffrais, dans le secret de moi-même, de ne pas savoir qui j'étais. J'éprouvais, sans le formuler, un solide mépris pour cette fille qui ne savait pas dire « moi » ou « je » sans hésiter, changer de ton, de conduite, de personnalité. J'oscillais sans cesse entre le lutin charmant, la guerrière dure à cuire, la petite fille abandonnée et la princesse endormie qu'un prince breveté viendrait réveiller et emporter sur son cheval fringant.

J'étais la première à me perdre dans mes dédales intérieurs et j'en voulais pêle-mêle à moi-même, à mes amants et au monde entier. J'amassais, au fil de mes égarements, une pelote de haine lustrée qui ne demandait qu'à se dévider. Si, vue de l'extérieur, je ressemblais à une jeune fille appliquée et gentille, le champ de ruines qui formait mon jardin secret avait de quoi me décourager et me donnait envie de mordre tout animal qui m'approchait de trop près. Interdiction de se pencher au-dessus de moi et de pénétrer. Pour dissimuler les sables mouvants de mon âme, j'élevais des barrières de charme, déployais des éventails multicolores qui

114

aveuglaient l'intrus : minijupe, mèches blondes, taille fine, yeux charbonneux, visage plâtré, démarche chaloupée. Armée et maquillée comme une épave de voiture volée qui trompait le chaland et lui donnait l'impression de s'installer au volant d'une carrosserie rutilante à la tenue de route impeccable.

Et la guerre éclata.

D'abord entre ces différentes parties de moi qui réclamaient des choses si contradictoires que je tournais bourrique, ensuite avec tous ceux qui ne comprenaient pas et prétendaient résoudre mon mal-être à l'aide de baisers, de promesses, de serments éternels, de déclarations d'amour et de fidélité à tout jamais. Je ne voulais pas de leurs cataplasmes brûlants que je réclamais pourtant à grands cris. Je voulais un mode d'emploi pour vivre en paix avec moi-même.

Je mélangeais tout. J'attendais du sexe fort qu'il m'apportât un remède, une potion magique qui assainirait mes humeurs, me filerait une identité, et le boutais sans façon hors de la place lorsque, malgré tous ses efforts, il échouait.

Je mis du temps à apprendre à vivre avec moi-même. A recoller tous mes petits bouts éparpillés. A vivre en bonne camaraderie avec mon âme. Du temps, de la peine, un vrai travail de limier.

J'appris en observant les autres. Je les espionnais et empruntais les méthodes d'un détective privé. Je collectais et analysais les petits indices qui traînent et en disent long. Les policiers de Scotland Yard n'ont rien à me reprocher. Je suis devenue experte dans les méandres du cœur et reconnais, au premier coup d'œil, l'épouse quasi abandonnée qui ne tient à la vie que par une routine mécanique et une poignée de Prozac, celle qui épuise le mâle de revendications amères ou la rouée qui l'exploite, sournoise et goguenarde. Je sais l'énervement bridé du mari lassé et la réplique qui fuse, épinglant le détail anodin où déverser une colère qui n'ose porter son nom. Je connais les mensonges-ritournelles de l'homme infidèle, sa fausse légèreté d'homme pressé et la couardise de la femme qui ne veut pas voir. La vie des autres est un champ d'observation infini où les détails engrangés vous permettent d'avancer en vous-même comme dans une enquête criminelle. On ne s'ennuie jamais à contempler l'heur ou le malheur d'autrui tant il vous renseigne plus efficacement que n'importe quel docteur de l'âme sur vos propres désordres. Tant il est vrai aussi que ce qui vous saute aux yeux, vous irrite ou vous tord les entrailles est le reflet exact de vos propres manques, défauts ou souffrances que vous vous obstinez à nier, à mettre de côté.

J'ai cru plusieurs fois avoir tordu le cou à l'ennemi intérieur qui m'empêche d'aimer. Mais toujours il revient, armé de plus belle, pressant et rusé. J'arrive de temps en temps à le tenir écarté, à l'empêcher de pénétrer sur ma propriété privée. Mais trop de colères, trop de violence irraisonnée, trop de tensions insupportables me prennent encore par surprise et me laissent, étonnée et suffocante, sur le cadavre exquis d'un amant estourbi pour que je puisse proclamer que je suis pacifiée, réunie, sereine. En un mot : prête à aimer l'autre, quand il s'agit d'un homme.

Aimer... ce mot bateau qui prend l'eau de partout. Même le Petit Robert y perd sa clarté. C'est quoi aimer ? Qui est le « je » qui dit « je t'aime » ? A qui s'adresse-t-il ? Que demande-t-il en échange ? Ou bien est-ce gratuit ? Le serment d'une seconde ou d'une éternité ? Une bulle de trois mots qui crève lors d'une étreinte réussie, d'un manque comblé, d'un rêve d'enfant exaucé ? Et d'où nous vient notre manière d'aimer ? Sommes-nous les seuls ouvriers de cet échafaudage branlant ? Qui a mis en place les traverses et les boulons, les poulies et les planches où nous avançons en aveugles tâtonnants, persuadés d'être libres et conquérants ?

Autant de questions que j'appris à me poser comme des rébus chinois qu'un jour j'ai décidé d'élucider. Sous leurs petits chapeaux pointus et leurs sourires énigmatiques se cachait la clé de mes erreurs à répétition.

En attendant, ils ne pouvaient qu'échouer, ceux qui m'offraient, éperdus, leur vie, leur amour et leur virilité.

Ce n'était jamais de ma faute.

En un sens, j'avais raison : ce n'était pas de ma faute. Je n'étais qu'un tueur à gages.

J'étais en mission mais je l'ignorais.

J'allais l'apprendre. Au bout de combien de carnages, de cadavres et de fuites macabres qui me laissaient dans la bouche un goût de plus en plus âcre et dans le cœur une large blessure qui n'en finissait pas de couler.

— Et si je vous demandais quelle est pour vous la définition de l'amour ? j'ose, un soir, en fin de dîner, dans un bistrot sur la côte normande. Entre un homme et une femme, bien sûr...

Beaucoup de temps a passé. Nous sommes quatre : des amis, des amants, des complices. On a mangé des soles fraîches prises par les pêcheurs du village. On a bu un petit vin blanc et des bières pression, commandé des cafés, des trous normands et évoqué le passé, le présent, en souriant avec la sagesse que donne le temps quand il est bien utilisé, et le sourire né de l'indulgence.

— Quand j'ai rencontré Philippe, il y a presque vingt ans, commence Judith d'un ton grave, en relevant ses grands cheveux roux d'une main et en jouant avec sa cigarette, le ciel m'est tombé sur la tête et je me suis dit : maintenant, je peux mourir...

— Moi, enchaîne Daniel, méticuleux et sérieux, martelant le bord de la table, j'emploierai trois mots... Trois petits mots et une virgule : enfin, je sais...

— Et moi, dit Dominique, vieux rocker devenu soudain romantique, un seul : toujours...

118

Et toi ? demandent leurs trois regards tournés vers moi.

— Moi, je ne sais toujours pas.

Je sais la tendresse, l'affection, le respect, l'admiration, le désir, le plaisir mais l'amour, je ne sais pas. Je cherche toujours.

Et aujourd'hui, est-ce que tu sais ?

Ma bouche est près de ton oreille mais je ne te pose pas la question. Je sais que tu me le diras, un jour, que ces trois petits mots, tu me les crieras. Parce que j'aurai tout fait pour ça. Je vais t'anéantir d'amour, prévenir le moindre de tes désirs et le combler aussitôt. Toi et moi, on ne fera plus qu'un. Sans moi, tu ne seras plus rien. Tu ne sauras plus rire, plus marcher, plus aimer, plus écrire. Tes rêves, même, m'appartiendront. Je remplirai ton corps et ta vie comme une source chaude. Je te baiserai comme aucun mec ne t'a jamais baisée.

Ces mots-là aussi, je veux les entendre de ta bouche.

Je sais que tu me les crieras...

Je sais presque tout de toi.

Avec toi, je vais parcourir le monde. Avec toi je vais vivre, je vais vivre mieux. On a déjà vécu plein de choses chacun de notre côté, ce n'est pas la peine de se raconter des histoires, mais toi et moi, c'est la vie que nous conquerrons, c'est la vie que nous survolerons en aventuriers intrépides et parfaits...

Grand restaurant. Un paquet d'étoiles. Je déjeune avec mon patron. Toute fraîche embauchée. Il est en fin de carrière mais n'a pas dit son dernier mot. C'est mon premier boulot sérieux et je fais de mon mieux. Pimpante et à l'écoute. Limite servile. Tout chez lui est marron : le costume, la monture de lunettes, les yeux, les cheveux (teints), la moustache (teinte), la cravate, les chaussures, le bout des doigts (tachés par la cigarette). J'ai beau plisser les yeux, je n'aperçois pas la moindre trace de couleur. Si, peut-être les dents : jaune ivoire. Il parle et je l'écoute. Il ne se demande pas si ce qu'il dit me passionne ; il est habitué à être écouté. Il ne marche pas, il se pavane ; il ne s'assied pas, il trône ; il ne téléphone pas, sa secrétaire compose les numéros pour lui.

Il prend tout son temps entre deux bouchées de nourriture exquise qu'il déguste avec la moue retenue du connaisseur exigeant qui réfléchit avant de s'abandonner au plaisir. Dépose les mots, pompeux et lent. Sujet, verbe, complément et un paquet de subordonnées ronflantes. Je laisse échapper des soupirs laudatifs dans les courts espaces qu'il m'accorde. Il semble satisfait et reprend des aiguillettes de lotte au curry.

Le garçon se tient à ses côtés, la carte des desserts en main. Un débutant comme moi, je me dis en louchant sur son teint frais rougissant, son corps raide qui se casse en avant. Il a dû emprunter son costume : il flotte dedans. Le col, surtout, qui lui dessine une large soucoupe blanche sous le menton.

Il l'ignore et continue à pontifier en s'essuyant les commissures des lèvres de sa serviette qu'il étale ensuite soigneusement sur son ventre rebondi. Allonge le bras vers son verre et fait rouler le vin en bouche. Reprend sa phrase où il l'avait laissée. Le garçon se gratte la gorge pour rappeler sa présence. Il lève les yeux, surpris : on l'a interrompu. S'empare, de mauvaise grâce, de la carte, jette un regard pressé sur la liste des friandises proposées. Je n'ai pas le temps de parcourir la mienne.

— Vous nous donnerez deux cafés, dit-il. Bien serré pour moi et...

Il tend le menton vers moi pour m'interroger. Il a dû oublier mon nom.

— Euh... normal pour moi.

Le garçon s'éloigne d'un pas auto-effaceur. Revient avec une grande assiette de tuiles caramélisées, de chocolats à la pistache, de truffes, de nougatines, de tartelettes à la fraise, au citron, de petits éclairs au chocolat et au café.

Je contemple, alléchée, la guirlande de gourmandises et me demande par laquelle je vais commencer. Mes préférées, ce sont les tuiles, surtout celles-ci, croustillantes et dorés, recourbées en longues lames fines comme des vagues prêtes à se casser, le caramel brille et dessine des perles transparentes, des écumes de sucre effilé. Ce ne sont pas des tuiles industrielles, insipides et lourdes. Le service est bien fait : il y a un exemplaire par personne. J'ai vite compté. Et je suppute : j'ai droit à une tuile, je la garde pour la fin quand j'aurai le goût du café en bouche ou je la déguste tout de suite ? Je décide d'attendre et de commencer par une tartelette à la fraise. Je n'ose pas commencer avant lui. Je demeure dans mon rôle d'employée soumise.

Alors la main aux doigts marron s'avance vers l'assiette à desserts, fouille, palpe, hésite, puis, rapace, se referme sur deux tuiles, une nougatine et un éclair au chocolat qu'elle ramasse d'un geste vif. Je reste coite.

— Vous savez, mon petit, ajoute-t-il, ma tuile fondant dans sa bouche, quand on travaille pour moi, c'est corps et âme...

Moi, je voulais bien troquer mon corps mais pas contre n'importe quoi. Pas pour du travail, de l'avancement, un manteau de fourrure, un voyage dans les îles Bikini ou des diamants. Non, je voulais des renseignements sur mon âme, des indications sur la conduite à suivre pour devenir quelqu'un qui se respecte, savoir qui j'étais, où j'allais et quelle route emprunter. J'étais prête à verser une rançon pour qu'on me rende mon unité. J'offrais une récompense à qui me donnerait des informations susceptibles de me faire progresser dans mon enquête.

Au-dessus du patron tout marron, régnait un homme tout gris. Le tout marron tremblait devant le tout gris. Le tout gris avait un vaste bureau avec quatre fenêtres et deux secrétaires, une voiture, un chauffeur et un labrador noir. Le tout gris avait aussi, quand il regardait autrui, une lueur dans l'œil qui disait : je vous observe, je sais quel est votre problème.

Un jour où nous étions réunis dans le vaste bureau, que je me tenais en retrait, et écoutais ces hommes qui parlaient, un de mes collègues, de mon âge, me lance devant tout le monde :

— Va voir sur mon bureau, j'ai dû y laisser le dossier et les photos...

Il s'est déjà retourné et feuillette des papiers. Pas bouger, je me dis, pas bouger, il n'a pas à me traiter comme ça. Je ne suis pas sa bonne. Il a deux bras, il a deux jambes. On est à égalité.

Il se retourne, étonné. Je n'ai pas bougé. Il esquisse un geste d'étonnement muet. Me montre de la main la direction de la porte, des fois que j'aurais oublié. Insiste. Un silence s'installe, lourd de questions, de tension, de règlements de comptes ancestraux.

L'homme tout gris, l'homme tout marron et les autres m'observent. Les filles se demandent ce que je vais faire. Gonflée ou pas ? Renvoyée ou pas ? Ils me guettent, surpris par mon immobilité. Quelques secondes passent qui me paraissent un siècle et demi. Des siècles de servitude, je me dis. Des siècles à obéir. Pas bouger, pas bouger.

Et puis, j'y vais. M'en souvenir. Ne pas oublier. Ne pas recommencer. Si, justement. Et pourquoi ? Pauvre nouille, pauvre conne, pauvre rien du tout. Une rien du tout, c'est ça. Une enveloppe vide. Envie de me vomir, de me marcher dessus. Tonnes de mépris. Si tu ne te prends pas au sérieux, pourquoi les autres te prendraient-ils au sérieux ? Tu n'as pas à faire le larbin pour un mec de ton âge ! Tu n'as à faire le larbin pour personne. Point. Espèce de larbin !

Je pose le dossier et les photos devant mon arrogant collègue, regagne mon poste d'observation, accroche le regard de l'homme tout gris qui me fusille. Virée, ma vieille, virée. Niée et virée. Le même jour. J'ai pas lu mon horoscope, ce matin.

Quand la réunion est terminée, que tout le monde se lève et range ses papiers, l'homme tout gris m'interpelle :

— Mademoiselle Forza, vous pouvez rester un moment, s'il vous plaît ?

Virée. Je lis mon congé en multiples exemplaires dans les yeux rétrécis des autres qui sortent sans me regarder, en faisant presque un détour pour m'éviter, dans le genre « je ne connais pas cette fille ». Le coq a chanté. Saint Pierre a renié son pote trois fois de suite. L'homme marron me lance un regard exaspéré. Forte tête, il pense, bien fait, elle va être matée. Je l'exaspère depuis le début, je lui refuse l'usage de mon corps. Il me convoque, me fait compter des trombones ou ranger des élastiques, tailler ses crayons pointus, ricane devant ma minijupe, me coince près de la machine à café mais, à chaque fois, je lui échappe. Sans tambour ni trompette mais je lui échappe. A quoi ça sert d'avoir embauché une fille blonde et lisse si on ne peut pas la trousser ?

Seule face à l'homme gris, je transpire. M'attends au pire. Préfère encore attaquer. Perdue pour perdue, autant que je récupère un peu d'estime pour moi-même.

— Il n'avait pas à me traiter comme ça ! Je ne suis pas à son service !

— Vous n'aviez pas à *vous* traiter comme ça ! Ne laissez pas des petits cons vous donner des ordres, compris ? Traitez les gens comme ils vous traitent. D'égal à égal. Sinon vous ne vous ferez jamais respecter...

Et je tombe en amour. A cet instant précis.

Il a vu que j'avais une âme. Il a parlé à cette âme. Il m'a donné, sans rien demander en échange, un fragment de son pouvoir d'homme gris. Une parcelle de son territoire qui va me permettre d'établir mon camp, de dresser l'inventaire de mes armes, de ne plus subir. Je me redresse. Je suis debout. Avant lui, j'étais un pauvre pantin à terre qu'on pouvait piétiner, découper en morceaux, jeter, reprendre. Des ailes me poussent dans le dos, me poussent vers lui. Je me dilate. Un ballon d'air dans le cœur. Je vais m'envoler. Heureuse, si heureuse. Je lui confisque ses yeux. Affamée d'autres regards bienveillants et généreux. Encore, encore de l'attention, des fiches de renseignements, des conduites à suivre, des formations de l'âme. Ce doit être ça, l'amour : quand le regard de l'autre voit en vous ce que vous ne voyez pas vous-même, l'extrait comme une pépite dorée et vous l'offre.

Je m'allongerai sous lui et il parlera à mon âme dans le noir de la nuit quand les corps n'ont plus faim, que les mains se rejoignent, que les âmes s'enlacent et montent haut dans le ciel. Il me regardera grandir, applaudira mes premiers pas, mes premiers mots, soignera mes genoux écorchés, me remettra sur ma route.

Il m'a beaucoup appris, l'homme en gris.

Beaucoup aimée. Trop peut-être. A en perdre la tête. A me la dévisser. A m'en faire pleurer quand je regardais, même le temps d'éternuer, un autre homme que lui. A m'enfermer à clé pour que je ne voie personne. A m'entourer de sa tendresse violente où les « je t'aime, ne me quitte pas » se traduisaient parfois par des coups. Je prenais les coups, je prenais son amour. Je prenais tout : je voulais apprendre.

La violence ne me faisait pas peur. Je la connaissais par cœur. Je la respectais, la chérissais, la cajolais. La réclamais même et boudais la tendresse des cœurs ou des corps. Je ne m'en lassais pas. Encore, encore, je disais tout bas, quand l'autre reculait, effrayé par sa propre violence.

Encore, encore...

Parler, dormir emmêlés, joindre nos mots et nos corps en une seule âme qui vole très haut. Tes mots qui attrapent des bouts non identifiés de moi et me mettent à nu, avec amour mais sans complaisance. Tes doigts qui s'enfoncent dans mon cou, mes épaules, mon ventre, tirent mes cheveux en arrière, tirent, tirent puis m'attirent contre toi dans une infinie douceur. Moi, envie de devenir toute petite, de subir ta force en victime consentante qui réclame encore, encore de la douleur pour la transformer en plaisir, encore du plaisir si fort qu'il déchire et devient douleur et par-dessus tout des tonnes et des tonnes d'amour...

— Une nuit, je couvrirai ton corps de baisers, et la nuit suivante, je te prendrai sans même te regarder. C'est la même chose, tu le sais ? il me dit dans le noir de la chambre, dans le noir de ma chambre.

Je le sais. L'amour des corps est un élan déguisé, aiguisé, plus léger, plus généreux, qui ouvre grand les portes de l'impossible, de l'innommable, de l'abîme où se précipitent les corps avides de voir jusqu'où peut aller l'humain et si peut-être, peut-être, il peut attraper une étincelle de divin, s'y fondre et monter, monter en un sillage éblouissant et brûlant vers ce Quelque chose, ce Quelqu'un que nous recherchons sans savoir le nommer. Sans oser le nommer.

Rencontrer une fois, une seule fois, la lumière infinie en empruntant le chemin des corps, le pauvre

127

chemin limité de deux corps qui se brûlent en une étreinte terrible pour devenir une parcelle de lumière éternelle et éclairer, ne serait-ce que quelques secondes, le cloaque de la vie, le merveilleux cloaque de la vie où tout est possible si on sait s'ouvrir, s'ouvrir.

S'ouvrir pour ne pas mourir.

Ouvrir son corps, sa tête pour apprendre à donner d'abord.

A recevoir ensuite.

Et plus on ouvre, plus on s'ouvre, plus on s'aperçoit qu'il y a de la place pour recevoir...

Re-se-voir. Se voir à nouveau différent et neuf. Chasser tous les vieux comportements, les vieilles habitudes qui encombrent, encrassent, empêchent de voir la vie.

Voir enfin tout ce qu'on se cache parce qu'on a peur.

— Tu as encore peur ? tu me demandes en me serrant contre ton corps de statue abandonnée.

Je sais qu'il va frapper un jour, qu'il attend, qu'il me laisse profiter du début de ma romance. Me laisse le temps de m'élancer pour mieux me fracasser. Je le sens : il rôde autour de nous, il prépare son coup. Je peux même sentir ses mains s'approcher en tenailles, son souffle frôler mon cou, son ricanement retentir au détour d'une phrase.

Je le chasse, je chasse son fantôme.

Toi aussi, tu sais qu'il rôde autour de nous. Tu te méfies. On parle à voix basse comme des embusqués.

On a peur qu'il nous entende, qu'il nous surprenne en train de parler de lui et nous saute à la gorge.

— L'ennemi, je le connais..., tu me dis tout bas.

Je me tourne vers toi, pleine d'espoir. Oh oui ! je te supplie du regard, démasque-le, tranche-lui la gorge. Apporte-moi sa tête sur un plateau. Aide-moi dans ce combat que je perds à chaque fois.

— Tu rêves d'un homme parfait...

— ...

— C'est pour ça que tu as peur. Peur que je ne sois pas à la hauteur. Je ne peux pas être tout le temps dans l'assurance, dans le rôle que toute femme demande à l'homme de jouer : celui du mâle assuré. Je veux avoir droit aussi à la fragilité. Que tu acceptes que je sois fragile.

Fragile, un homme ? Je fais la grimace. Un homme doit être fort, puissant, sûr de lui. Un beau malabar contre lequel on se jette et qui ne s'écroule pas. Toi, Tarzan. Et moi, petite Jane que tu enlèves dans tes bras. Je ne suis pas une petite Jane. Ce n'est pas vrai. Je peux être un gros malabar. Et je n'aime pas les Tarzan qui vous débitent en morceaux et vous envoient chercher des bières au frigidaire... Alors... Je ne sais plus. Tout se mélange dans ma tête.

— Tu dois renoncer à voir en moi le personnage idéal...

— C'est qui le personnage idéal ?

— Quelqu'un qui réagirait exactement comme tu en as envie, quand tu en as envie, présent mais pas trop, fort mais tendre, drôle mais sérieux, disponible quand tu le veux, le Prince charmant, quoi.

— Le Prince charmant n'existe pas...

— C'est ce que tu affirmes mais tu l'attends quand même... C'est plus fort que toi. Je n'ai jamais connu de femme qui, en secret, n'attendait pas le Prince charmant... C'est pour ça que vous êtes déçues. Toujours. Vous demandez à l'homme qu'il soit parfait.

— Parce que vous, les hommes, vous êtes au-dessus de ça ?

— Non. Nous aussi on attend la Princesse charmante. Mais on le cache bien !

C'était une île pour ma mère, Madagascar, une île au passé de pirates, d'abordages, de pendaisons haut et court, de trafics de riz, de bœufs, d'esclaves. Une île pour dure à cuire.

Elle y partit avec une âme de midinette. Une voyante lui avait prédit qu'elle rencontrerait là-bas l'homme de sa vie.

— Un homme à vous couper le souffle, avait murmuré l'oracle en déchiffrant ses cartes à la lueur de trois bougies blanches. Grand, beau, riche, bon, fort et... américain. Ce sera l'amour de votre vie. Vous serez enfin heureuse.

— Et qu'est-ce qu'il ferait là-bas ? demanda ma mère, intriguée. Ne pourrais-je pas le rencontrer dans une ville plus civilisée ? New York, Washington, Boston, je ne sais pas, moi... Madagascar, c'est loin, ce doit être infesté de requins, de cobras cracheurs, de fourmis-lions, une île menacée par les cyclones et les volcans furieux.

— Vous vous trompez, riposta la voyante éclairée, on n'y trouve ni grands fauves ni serpents venimeux... Juste la mousson à la saison des pluies lors de la convergence intertropicale des alizés et des hautes pressions de l'océan Indien.

Impressionnée par la science météo de l'extra-lucide, ma mère partit pour Madagascar, emmenant mon petit frère. Elle avait trouvé un poste d'institutrice dans une école privée de Tananarive. Les trois aînés resteraient en France. J'avais dix-huit ans et l'âge de me mettre à mon compte. Tu es majeure, tu as ton bac, j'ai fait mon devoir, c'est chacun pour soi dorénavant, me déclara-t-elle, en ajoutant que je saurais bien me débrouiller seule. Tu vas gagner ta vie, tu apprendras, c'est en prenant des coups qu'on apprend, c'est la meilleure école pour s'en sortir.

Mon père, lui, avait repris la route. Vers l'est. A la recherche de ses racines. Il n'alla pas très loin et s'arrêta à Strasbourg où il prit souche, convola, eut beaucoup d'enfants. « Mais tu es toujours ma préférée, m'écrivait-il, mon rayon de miel, mon soleil, ma plus belle. Je te couvre de baisers et t'aime plus que tout. Ne l'oublie jamais. » Il oubliait, lui, de me donner son adresse.

Mon petit frère me manquait. Lettres trop rares et

téléphone trop cher. Je lui écrivais de longues missives auxquelles il répondait, une fois par mois, sur du papier pelure, par de laconiques messages non dépourvus d'humour et n'exigeant pas de timbrage exorbitant. « Toujours pas d'Amerloque à l'horizon. Mais des champs de manioc dont je fume la barbe. Je poursuis mes études et barre les jours du calendrier. Mange des bananes et du riz. Belle collection de micas. Baisers las. » Parfois, pointait dans ses mots une mélancolie noire. « La maison est si petite qu'on dort tous les deux dans le même lit. Sans moustiquaire. Elle tue les moustiques avant qu'ils ne me sucent le sang. Le lendemain matin, elle me dit qu'elle n'a pas fermé l'œil de la nuit et me lance des regards furieux. Elle bâille toute la journée et se masse les tempes ostensiblement. Envoie-moi des mètres de tulle blanc. Au besoin prends-les sur ta robe de mariée. Je te revaudrai ça. »

Je lui écrivais ce que je n'aurais jamais osé lui dire à voix haute et inventais, pour le distraire, mille péripéties de vie parisienne.

« Petit frère bien-aimé et absent,

Tu me manques, tu me manques, tu me manques.

Mais encore ?

Tu me manques.

C'est tout ? vas-tu me dire, le sourcil en portemanteau et la lippe tombante. Tu pourrais trouver mieux... Je sais. Je sais. Mais c'est déjà pas mal...

Je survis. J'ai rencontré un prince arabe qui m'a

132

déclarée concierge de son palais, en son absence. Je dois arroser ses plantes, leur parler, leur lire Saki pour les égayer et Proust pour les endormir. Tu ris ? mais ça marche, elles prospèrent. Caresser trois fois par jour le chat angora, le brosser à rebrousse-poil et lui limer les griffes avec une lime émeri importée de New York. En échange, je dors dans la salle du harem, une chambre immense avec lit rond et multiples alcôves où se réfugiaient autrefois les femmes en attente du bon désir du prince. Je laisse la lumière allumée toute la nuit tellement c'est grand. Une fois par semaine, je me rends au hammam, dans le palais, où deux grands esclaves nonchalants m'épluchent la peau au gant noir et au savon gluant, puis me massent durant des heures avant de me déposer, endormie, dans mon lit autour duquel brûlent des bâtons d'encens larges comme des colonnes doriques. Je couds des babouches et brode des étuis de poignard. Je suis payée à la pièce. M'enferme dans les vastes placards et respire l'odeur des chevaux qu'il élève là-bas, au pays. Je les connais tous et leur ai donné un nom à chacun. Je t'ai gardé le plus beau et nous faisons de longues promenades ensemble sur le sable brûlant. L'autre jour, tu as gagné le prix du meilleur cavalier et reçu cent puits de pétrole. Tu m'as promis qu'on partagerait... »

Pour lui, je reprenais goût aux interminables histoires du soir que je me racontais pour m'apaiser. A présent, je les lui offrais. J'allais à la poste faire peser de lourds cahiers spirale qui s'envolaient vers Madagascar.

— Merde ! Y a combien de tes petits copains à la noix qui t'ont amenée chez Lasserre ? Et tu pleures ! T'es vraiment une conne ! Garçon ! L'addition... Non, non, on a terminé, on s'en va !

— ...

— Il a l'air triste que tu partes. Tu devrais lui donner ton téléphone pour qu'il vienne te tirer en douce. T'es bonne qu'à ça. A te faire fourrer par des connards de ton âge, des boutonneux qui font les larbins chez les autres... Comme toi. En être là ! A mon âge ! Une gamine qui se mouche dans sa sole, le soir, et se fait asticoter par un petit chef, le jour !

— ...

— Allez, viens ! On se casse.

Dans la voiture, ça continuait. Dans la chambre, aussi. Il me déshabillait, m'immobilisait, me renversait, me frappait, m'empoignait, me donnait des ordres, m'ouvrait, me forçait. Et puis il s'effondrait contre moi, il tombait à mes pieds, il m'enlaçait, il me disait qu'il m'aimait, qu'il voulait m'épouser.

— Je t'épouserai jamais. Jamais. J'ai vingt ans. Tu en as cinquante. Je t'épouserai jamais.

Tout me donner.

Il m'achetait des chaussettes chaudes pour que je n'aie pas froid aux pieds, palpait le tissu de mes pantalons et le trouvait trop mince pour l'hiver, prenait rendez-vous chez le dermatologue dès que j'avais un bouton, m'offrait des doubles rideaux pour arrêter les courants d'air, m'emmenait dans des palaces, aux sports d'hiver, au bord de la mer, me disait « tiens-toi droite », « c'est pas la bonne fourchette », « dis pas ça », « fais pas ci », « lis ça », « regarde ça », « écoute ça ». J'écoutais. J'apprenais. Je me remplissais.

Je prenais tout, stupéfaite qu'on puisse donner autant, mais je prenais avec parcimonie. Petit à petit. Réservée. Hostile parfois. Comme une anorexique qui apprend à manger.

Il me donnait trop. Je n'avais pas de place pour tout ranger.

Et puis, je ne le méritais pas. Il avait une haute idée de moi. Il me voulait plus riche et plus belle que la reine de Saba. Plus libre et plus puissante que Néfertiti. Et moi, j'étais Cosette avec mon seau rempli de complexes.

Je prenais tout parce que j'aimais apprendre...

Et qu'il y avait les coups.

Il s'éloignait quand il était en colère. Il devenait un autre, un ennemi que je pouvais mesurer. Tenir à distance. La lutte, la bagarre, je connaissais. J'étais à l'aise dans les coups. Je reprenais mon souffle. Je respirais. On était deux bien séparés. Il redevenait un homme libre et fort. Je devenais une femme soumise et dure. On s'affrontait chacun avec ses armes. Il possédait la force de l'homme, la ruse des vieux guerriers, les stratagèmes du combattant rompu, je me travestissais en mille feux follets, le déroutais, le harcelais, me laissais prendre puis m'échappais, le narguais, l'ensorcelais. Chacun, à tour de rôle, vainqueur et vaincu. L'amour n'était plus cette offrande mièvre et suspecte qui le collait à moi et me donnait envie de le rejeter, mais un combat délicieux où chacun fourbissait ses armes, ses plans de bataille, d'où naissait un plaisir trouble, haletant, menaçant, toujours différent. On inventait des stratégies pour vaincre l'autre, des pièges pour l'enfermer, des faux répits, des faux soupirs pour mieux rallumer le désir.

Mais, toujours, toujours, derrière les plus terribles menaces, derrière les mises en scène les plus raffinées, je pouvais sentir battre son amour pour moi.

Alors je devenais grande. Je devenais multiple. Je suis celle-là, et celle-là aussi et celle-ci et cette autre...

Quand l'homme se montrait trop doux, trop amoureux, trop tendre, trop pressant, qu'il posait doucement ses mains comme deux coques frêles sur mes seins, que je sentais son corps s'alourdir contre le mien, lourd de tout son amour, de tous ses espoirs, je me rétractais. Mon corps, mon cœur se refermaient. Ma tête partait au large. Je ne pouvais supporter cet abandon, ce laisser-aller, cette exhibition sentimentale qui me laissait un sale goût dans la bouche. Je voulais les épines qui égratignent, qui brûlent, font couler un sang nouveau.

Je ne comprenais pas pourquoi.

Quand il me prenait contre lui et chuchotait : « Tu es belle, tu es douce, ton corps est un territoire inconnu dont je voudrais embrasser la moindre parcelle, l'honorer et le caresser toute ma vie », j'entendais un immense éclat de rire noir monter du fond de mon ventre. Je me durcissais, plaquais mes mains sur mes oreilles pour ne plus l'entendre ; mais quand, le matin, il me réveillait, me maintenait contre lui, enfermée, prisonnière, accentuant la pression de ses doigts sur le bout de mes seins jusqu'à ce que je hurle à pleine bouche, qu'il m'intimait l'ordre de me taire et reprenait la crispation de ses doigts tenailles, alors je sentais en moi un immense ruban d'amour se dérouler et m'enchaîner à lui. Je lui disais : « Je t'aime, je t'appartiens, fais de moi ce que tu voudras », aveu terrible que ses mots d'amour n'avaient jamais pu m'arracher.

Comment pouvait-il comprendre ce que je ne comprenais pas ?

Cette souffrance nouvelle qu'il inventait chaque fois, qui me retournait comme un gant, faisait surgir en moi des territoires inconnus où je me laissais entraîner, terrifiée mais consentante, sûre d'approcher une lumière qui m'aveuglait et me parlait d'amour, d'identité, de terres à défricher.

— « Les jeux érotiques découvrent un monde innommable que révèle le langage nocturne des amants. Un tel langage ne s'écrit pas. On le chuchote la nuit à l'oreille, d'une voix rauque. A l'aube, on l'oublie. » C'est Genet qui parle ainsi. Je te ferai tout subir parce que je veux tout de toi. Je veux voir tous tes visages, toutes tes peurs, toutes tes audaces. Je débusquerai le pire en toi et le transformerai en pierres précieuses. Je te menacerai et tu m'obéiras...

— Quand on me menace, je fais tout...

La ceinture glisse sur mon corps, longue, souple, avec une grosse boucle lisse et argentée. Elle effleure les épaules, le ventre, remonte sur les seins, s'attarde, musarde comme si elle cherchait un bon tour à me jouer, un bout de chair à mordre. Le cuir est froid, la boucle glacée, elle accroche au passage un sein, une pointe de sein, et tes yeux bondissent dans les miens, guettent la surprise ; ils lisent l'appréhension et l'attente muette, se plissent en une interrogation de bourreau complaisant et ta main s'allonge et se fait pressante. Elle appuie la pointe de la boucle sur la pointe du sein, emprisonne la pointe du sein dans la boucle, serre, tourne, tourne, et comme je ne dis rien, comme aucune plainte ne monte de ma bouche, que je persiste à garder ma douleur pour moi, à m'en pourlécher comme d'un bonbon secret, tes doigts se crispent et écrasent le bout tendre et durci du sein contre la boucle froide et dentelée jusqu'à ce que la douleur explose et que filtre de ma bouche une plainte rauque qui te fait sourire.

Je n'ai pas le droit de parler, de gémir ou de geindre, pas le droit de bouger, de me dérober à la douleur que tu inventes et doses savamment, ne me faisant jamais vraiment mal, mais me mettant sur le chemin d'une souffrance que je devine fulgurante. C'est la menace qui m'enchante, le pouvoir infini de la menace : tout est possible et encore plus terrifiant que la réalisation. La menace qui ouvre tout grand l'imaginaire. Il n'y a pas de frontière. Tout est suspendu, infini. Le désir s'amplifie, roule, gronde, s'étire, se retire, revient en vague écumante qui ne casse jamais...

Tu es immense, tu es la voûte céleste et je suis une petite étoile perdue dans la Voie lactée qui assiste à la naissance d'un nouveau monde.

Là, dans le noir de la chambre, dans le noir de ma chambre.

C'est simple, dis-tu d'une voix qui n'admet pas la dérobade ou l'hésitation.

C'est si simple qu'on peut en mourir de plaisir.

Un jour, l'homme tout gris hissa le drapeau blanc et réclama la paix. On prendra un appartement, on vivra ensemble chaque minute, chaque seconde, je te protégerai de tous les hommes marron et tu grandiras à l'ombre de mon chêne.

— Je veux grandir seule, toute seule.

— Je veux vivre avec toi.

— Un jour, je partirai. Tu le sais bien. On n'est pas à égalité.

— Je ne veux pas que tu partes...

— Je partirai.

— Je veux faire un bébé avec toi.

— Je ne veux pas de bébé. Je ne veux plus rien de toi. Tu es tout gris.

C'est fini, je pense, en le repoussant de mes chaussettes chaudes, de mes pantalons épais, de toutes mes forces. C'est fini, je ne t'aime plus et d'abord je ne t'ai jamais aimé. J'ai pris en toi ce qui m'intéressait. En commerçante avisée. Ce n'est pas de l'amour, ça. Tu n'as plus rien à me donner, que des veillées sous l'abat-jour en regardant la télé ! Tu as les mains vides, tu n'as plus d'empire, plus de territoire. Tu es un vieux brigand ruiné sans bateau ni butin, échoué sur une île menacée par la marée du temps. Moi je suis un jeune corsaire avide de batailles, de rapines, de terres inconnues où planter son drapeau noir. C'est fini.

Je le pensais mais ne le disais pas. J'avais honte de ce troc impudique au terme duquel nous étions arrivés. Je lui étais reconnaissante d'avoir posé les premières bornes sur mon territoire, d'avoir découvert les terres en friche en moi. Sa douleur m'émouvait et m'encombrait. Me dégoûtait aussi. Je l'aurais voulu superbe dans le renoncement, grand, généreux, va-je-ne-te-hais-point. J'aurais voulu qu'il me garde dans sa rétine à jamais sans plus m'approcher. Qu'il se tienne à distance.

Il me jetait sur le lit, essayait de me forcer, d'inventer d'autres jeux où il était le plus fort, le maître de mon corps, je le repoussais. Verrouillée. Froide. Indifférente.

— Tu me dégoûtes, je lui disais. A l'idée que tu puisses poser tes mains sur moi, tout mon corps se révulse. Je ne veux plus jamais que tu me touches. Plus jamais ! Je veux tout oublier de toi. Tu n'existes plus.

Il renonça à se battre. Il cessa d'aller travailler. Il traîna au lit jusqu'à midi. Il me suivait partout. Il fracassait ma porte, cassait les poignées des portières de ma voiture, me jetait hors de la sienne en plein virage. L'instant d'après, il n'était plus qu'un homme répandu à mes pieds qui répétait qu'il m'aimait, qu'il m'aimait.

— C'est quoi « aimer » ? je lui demandais.

— Regarde-moi... Je deviens fou à cause de toi.

— Tu étais déjà fou avant. Je ne suis pas responsable.

Il ne répondait pas. Ses cheveux gris devinrent tout blancs. Il devint tout blanc, s'effaça. Bientôt, je ne le vis plus. Il disparut.

Une femme blonde et lisse, qui m'avait vue compter les trombones et les élastiques, esquiver l'homme marron, quémander du travail dans d'autres services, me dit un jour :

— Je vous observe. Vous êtes dure, vous résistez mais vous vous épuisez. Vous n'avancerez pas si vous restez ici. Venez avec moi... Je lance un nouveau journal, j'aurai besoin de vous. Il paraît que vous aimez écrire ?

Et je découvris les mots. J'appris à les ajuster pour faire sonner une réalité. Ma réalité. Comme un forgeron sur son enclume. Je soufflais, je transpirais, j'ahanais, le nez sur la machine à écrire comme mes grands-oncles penchés sur le soufflet de leur forge. Ce travail exigeait autant d'ajustements minutieux que le labeur de mes ancêtres, battant le cuivre, tordant le fer pour oublier le bruit des roues sur les chemins cahoteux, la fuite de ville en ville, le regard sans cesse porté sur un nouvel horizon. De l'enfermement naissent souvent de nouveaux talents pourvu que l'âme soit astreinte à des travaux humbles et précis. Soudain l'imagination s'envole, créant un monde où il n'est pas nécessaire de bouger pour s'évader. J'affilais, j'affûtais, je limais, je polissais, je rabotais, j'étais en nage.

Je portais mon ouvrage à la dame blonde et lisse. Elle lisait.

— Je ne sens rien, me disait-elle. Je veux de l'émotion, du tremblement, du mouvement. Ça respire la bonne élève, le commentaire composé, ce que vous écrivez. Vous êtes comme ça dans la vie ? Ordonnée et froide ?

Je secouais la tête.

— Eh bien ! Faites sauter vos verrous. Donnez-moi des odeurs, des cris, de la lumière, du froid, de la chaleur, du débraillé ! C'est trop bien élevé, trop convenable ! Vous êtes où, vous, là-dedans ? Nulle part. Je ne vous vois pas, je ne vous entends pas. Il n'y a pas de point de vue ! Je veux que vous me preniez par la main et que vous me fassiez voyager. Je veux que vous me racontiez le métro et les voyageurs enjoués ou hébétés, une rue en hiver et les papiers qui volent, un homme en colère et les veines de ses tempes qui vont éclater, une femme qui attend à la terrasse d'un café l'homme qu'elle aime et qui ne vient pas. Observez. Décrivez. Ne dites pas, montrez. Trouvez le détail vrai qui me permettra d'imaginer, d'entrer dans votre histoire.

Elle me rendait ma copie. J'allais me rasseoir. Je contemplais le clavier de la machine à écrire. La vie ! Mon point de vue sur la vie ! Si je le savais au moins ce que je pensais de la vie ! Ce serait tellement plus simple ! Je regardais à l'intérieur de moi et ne voyais personne.

Je ne pensais pas, je réagissais. Tour à tour agressive, hostile, soumise, lâche ou peureuse. Un petit animal à l'état sauvage qui flaire le danger, égorge les poules et file dès qu'on veut l'approcher.

Elle était impitoyable. Elle chassait les clichés comme le paysan traque le renard dans son terrier.

— Une voiture ne vrombit pas. L'orage ne gronde pas. L'hiver ne dépose pas son blanc manteau de neige, l'angoisse n'étreint pas les cœurs. Interdit, interdit, interdit ! Montrez-moi la sécheresse en me décrivant les ornières de la route, la pluie en me faisant patauger dans la gadoue, le trac en faisant bégayer le narrateur, la soumission dans l'inclinaison d'une nuque, la convoitise dans des yeux allumés et rétrécis. Des attitudes, des images, des sons et des odeurs ! Et l'émotion débordera. Elle jaillira des détails que vous aurez extirpés de votre mémoire, du regard que vous portez sur ce qui se passe autour de vous. Votre regard !

Je ne comprenais toujours pas. J'avais trop de respect pour les mots écrits ; je ne pouvais pas les bousculer et les faire tomber dans la vie quotidienne. M'en servir comme d'un outil ! Sacrilège ! Un mot, c'était une note de musique sacrée : aérien, léger, sentant l'encens et Dieu. J'étais intimidée. J'avais lu trop de livres bien tournés, posés sur les étagères de la bibliothèque où j'avais pris un abonnement dès que j'avais été en âge de lire. Ils me regardaient de haut et je tendais toujours une main hésitante avant de m'en emparer. Pour ne pas avoir à choisir, à les affronter, je lisais par ordre alphabétique. Balzac m'avait pris un temps fou ! Et Cronin ! Et les Dumas, père et fils ! Et Zola ! Et Tolstoï ! J'avais pleuré en lisant *Anna Karénine*. A gros bouillons. Quand Anna vient voir son fils en cachette dans le grand hôtel particulier de Saint-Pétersbourg, avec la complicité du vieux maître d'hôtel et que son mari la surprend... Je palpitais dans le noir de ma chambre, je lisais sous mes draps avec une lampe de poche, et j'étais dans la chambre de Sergueï. A la fois mère éperdue et enfant tremblant de sommeil et de chagrin. Tout résonnait : les grelots des chevaux de la calèche s'arrêtant devant le perron, les lourdes portes du palais qui s'ouvrent, le bruissement des jupons sous la robe, des pas précipités qui montent le grand escalier. Je respirais l'odeur chaude de la chemise de l'enfant, sentais les marbrures de l'oreiller sur ses joues enfiévrées, goûtais l'eau tiède et salée de ses larmes, tendais l'oreille et redoutais le pas puissant de l'homme Karénine, son regard impitoyable qui renverrait, d'une simple injonction muette, mon héroïne à sa vie de femme adultère, chassée par tous. Comment faisait Tolstoï ? Il n'était plus là pour que j'aille le consulter. Et Nabokov ? *Lolita* que je lisais en anglais pour faire résonner les syllabes du bout de ma langue contre mon palais. Dans une préface, il écrivait : « Caressez les détails, les divins détails. »

Les divins détails...

Un jour, la dame blonde et lisse enleva ses boucles d'oreilles, les fit sauter dans sa main et me proposa un exercice.

— Vous allez me raconter votre déjeuner avec cet homme qui vous persécutait, vous savez...

Je hochai la tête.

— Je l'ai vu faire avec des dizaines de stagiaires mais je voudrais savoir comment il s'y prend. Montrez-moi sa suffisance, sa convoitise, sa brutalité, son arrogance. Allez-y et je ne veux pas un de ces mots abstraits que je viens d'employer ! Que du détail ! Que du concret !

Je la regardai, méfiante. Après tout, c'était un de

ses collègues... Et si c'était un traquenard ? J'hésitai. Je tentai de deviner dans sa manière de faire sauter ses boucles d'oreilles d'une main à l'autre une trace de duplicité, un indice qui annoncerait la trahison redoutée.

— Vous n'osez pas ?

Et d'abord, pourquoi faisait-elle tout ça ? Qu'est-ce qu'elle voulait en échange ? Quel piège me tendait-elle ?

— Si vous n'osez pas, vous n'arriverez jamais à rien. Ni dans l'écriture ni ailleurs. C'est de vous que viendra le salut. Votre salut. Pas d'un autre. Pas des autres. N'attendez rien des autres.

Elle me tendait la main, me donnait la parole, le pouvoir de m'exprimer, d'apaiser ma colère. Je ne le savais pas.

— Je vous laisse du temps. Réfléchissez. Je suis sûre que vous y arriverez... Faites-vous confiance.

Je pris mon temps. On travaillait dans la même pièce. Je l'espionnais. L'écoutais parler au téléphone. Demander des renseignements, des services. Toujours d'égale à égal. Sans mordre ni commander. Sûre d'elle. Tranquille. Déférente avec les coursiers, la secrétaire, la femme de ménage. Je notais tout et ma résistance diminua jusqu'à n'être plus qu'un vieux soupçon délabré.

Un jour, je posai sur son bureau trois feuillets dactylographiés : le récit du déjeuner avec l'homme marron dans le restaurant plein d'étoiles. Elle le lut, une cigarette brûlant entre deux doigts, les yeux plissés, attentifs, puis elle releva la tête, me regarda franchement, grave et légère à la fois, et me dit :

— Ça y est ! Vous êtes dedans... Vous avez compris.

Une porte s'ouvrit devant moi. Une lumière blanche m'aveugla. Il pleuvait du soleil, les anges et les archanges soufflaient dans leurs trompettes célestes. Tolstoï et Nabokov me tapaient sur l'épaule, me félicitaient. Je poussai un grand cri, rauque et triomphant, levai les bras, brandis mon gant noir sur la plus haute marche du podium et entonnai un hymne à la gloire de moi-même. Je me retins de l'embrasser, ce n'était pas son genre. D'ailleurs, pour couper court à toute émotion, elle enchaîna immédiatement.

— Leçon numéro 2 : si vous n'avez rien à dire, ne le dites pas. N'étoffez pas votre ignorance à grands coups d'éloquence. Si vous peinez à décrire des toits de chaume et des champs d'iris, des intérieurs bourgeois et des armoires normandes, ne le faites pas. Ce n'est pas vous. Allez dans ce que vous vous sentez capable de faire. Style et structure sont l'essence de l'écriture, les grandes idées ne sont que foutaises...

Les mots n'étaient plus des angelots joufflus qui voletaient inaccessibles et sacrés mais des ouvre-boîtes robustes qui m'ouvraient des coffres aux trésors abondants.

Grâce à elle, à cette femme que je vouvoyais, qui me vouvoyait, qui jamais ne se permit la brutale possession, la fausse camaraderie du tutoiement, j'appris à savoir ce que je pensais, ce que je voulais, ce que je ressentais. J'appris à penser tout court, à oser dire « je », « moi », à avoir un point de vue, comme elle le disait. J'appris à me créer un territoire qui ne dépendait plus d'autrui. J'avais mon enclos et ne voulais plus le quitter. Au contraire. Le labourer, le retourner, l'ensemencer.

La vie s'était faufilée en moi, jetant un terreau sur lequel allaient pousser des interrogations, des certitudes, des promesses, des prouesses. Enfin, quelqu'un grandissait à l'intérieur de moi, quelqu'un avec qui j'allais devoir faire connaissance. Cela prendrait du temps. C'était sûr.

Au début, elle attendait, offerte et souriante. Elle se disait qu'elle allait le rencontrer. Au détour d'une rue, à la pharmacie, dans un de ces bars où seuls se rendaient les étrangers. Elle souriait au hasard, mettait ses plus belles robes, un soupçon de rouge à lèvres, un grand chapeau de paille, exposait ses bras bronzés, ses longues jambes brunes, brossait ses cheveux noirs, accrochait un collier, des bracelets.

Elle attendait.

Elle faisait la classe, absente et distinguée, enseignait *Heidi*, les montagnes glacées, les chalets en bois dentelé en regardant par la fenêtre. Elle apprit à jouer au bridge et s'inscrivit à un club où elle fut déçue de ne trouver que des vieux et des vieilles à la peau tannée par le soleil

149

qui se disputaient entre deux annonces et rejouaient interminablement la partie, une fois celle-ci finie. Les femmes étaient trop maquillées, portaient des bagues grosses comme des loupes, des lunettes derrière lesquelles on apercevait leurs petits yeux perçants. Les hommes avaient des problèmes de prostate et buvaient du whisky. Elle ne les écoutait pas, analysait indéfiniment ses chances. Elle était jolie, elle était charmante, elle avait l'âge rond et plein de la maturité. Une erreur du destin l'avait précipitée dans un premier mariage malheureux, il lui devait une revanche. Elle souffrait sans cesse. Elle se sentait née pour occuper les plus hauts sommets et devait se contenter d'une vie bien chiche. Elle souffrait de la maison trop petite, trop modeste, de l'unique lit qu'elle partageait avec son fils, des moustiques qui l'empêchaient de dormir et lui gâtaient le teint, du salaire insuffisant, de la promiscuité avec ses collègues qui la traitaient comme une des leurs, partageant avec elle leurs petits rêves, leurs petites ambitions, leurs toutes petites préoccupations.

Parfois, elle se réveillait brusquement, la nuit, en sueur, le cœur battant à tout casser, la main sur la gorge comme si on avait voulu l'étrangler : et si la voyante s'était trompée ? Si elle perdait son temps, ses dernières années de femme séduisante dans cette île étrangère où l'Américain, il fallait le reconnaître, était rare ? Elle avait beau ouvrir grand les yeux, elle n'en voyait aucun. Des Français, oui ! A la pelle. Mais des Américains ?

Pour se consoler, se donner un but dans la vie, elle

faisait des économies. S'imposait des budgets si serrés qu'il lui arrivait de passer un week-end entier sans rien dépenser. Ils allaient à la plage en stop, déjeunaient d'une banane, d'un plat de riz et de maïs, s'allongeaient sur leurs serviettes et dormaient. Chacun perdu dans ses rêves. Elle regardait les couples autour d'elle, soupesait le sac des femmes, le portefeuille des maris, imaginait de belles maisons de cadres supérieurs avec des domestiques, des nappes blanches, de la musique, des chandelles, de vastes vérandas où on buvait des drinks en riant, en parlant du retour prochain au pays, loin de cette île perdue. Puis son regard tombait sur son fils et se voilait. Pourquoi ressemblait-il tant à son père ? Pourquoi tous ses enfants ressemblaient-ils à ce charlatan qui avait ruiné sa vie ? Elle repoussait le coude qui touchait son flanc, détournait son regard irrité du profil, de la grande bouche, du long nez qui lui rappelait celui qu'elle n'appelait plus que le gitan. Ce n'était plus un bébé, c'était un homme, maintenant. Il marchait comme son père, riait comme son père, se moquait de son sérieux et lui reprochait son manque d'humour. Comme son père. Elle s'en méfiait. Elle cachait ses économies et les changeait sans arrêt de place.

Elle était faite pour une autre vie. Avec des toilettes, des bijoux, des réceptions, un mari au bras duquel s'accrocher et parader. Elle le savait. Elle était Scarlett O'Hara. Pendant sa seule année de fac, les hommes se disputaient le privilège de s'asseoir à côté d'elle.

151

Elle aurait pu tous les avoir. Choisir le plus brillant, le plus fortuné, le plus séduisant. La vie aurait été une éternelle valse enchantée et non pas cet âpre combat de femme seule devant se débrouiller. Sans fortune, sans relations. Elle végétait, c'est tout. La rage la prenait. Une colère terrible, irrépressible montait en elle et elle en voulait au monde entier. A tous ceux en qui elle avait placé ses espoirs et qui l'avaient laissée tomber. Qui l'avaient déçue. Des incapables, des hésitants, des pleutres. Forcément, quatre enfants, ce n'était pas une sinécure ! Ils reculaient tous, profitaient d'elle le temps de se payer du bon temps et puis ciao ! Ils partaient. Quatre enfants !

Un jour, dans un journal arrivé de France, elle lut un long article sur la voyante qu'elle avait consultée. Elle était célèbre soudain. Avait quitté son deux-pièces sombre du 18e arrondissement et donnait des consultations à mille francs les trente minutes. Le tout-Paris s'y précipitait. Il fallait attendre deux à trois mois pour obtenir un rendez-vous. Elle reprit espoir ; ce soir-là, ils allèrent dîner au restaurant.

Deux ans qu'elle attendait... Il suffisait d'être encore un peu patiente. L'homme idéal, avait dit la voyante, l'homme parfait. Cela valait bien un petit sacrifice.

— Et qu'est-ce que tu veux faire plus tard ? demanda-t-elle, charmante, à son fils qui avait plié ses longues jambes l'une par-dessus l'autre, posé son coude sur son genou et son menton dans sa main ouverte. Comme son père.

152

— Je voudrais dessiner... M'inscrire aux Beaux-Arts et...

— Pas question, intervint-elle, ce n'est pas un métier. Tu seras pharmacien, vétérinaire ou dentiste.

— Comme le fils Armand ?

— Oh ! Cette vieille histoire ! On ne va pas en faire un plat ! Ça arrive à toutes les petites filles. Moi-même quand j'avais treize ans, il y en avait un qui me coinçait chaque jour en sortant de l'école, il était nu sous son manteau et me collait son truc sous le nez. Quand j'en ai parlé à ma mère, elle a haussé les épaules et m'a dit de faire un détour pour l'éviter. Elle était pas plus émue que ça. Eh bien, je me suis débrouillée toute seule, et j'en suis pas morte !

— Je ne serai ni dentiste, ni pharmacien, ni vétérinaire. J'ai horreur des dents, des médicaments et des animaux...

— Les Beaux-Arts, c'est pour les saltimbanques ! Pas question que tu finisses en bohémien ! Il te faut un vrai métier.

— Alors ne me demande pas ce que je veux faire. Décide toute seule ! Tu décides toujours tout, répondit-il en décroisant les jambes et en s'étirant. On devrait sortir plus souvent. J'en ai marre de ce bled. J'ai envie de rentrer en France. Elle t'a bien eue, ta voyante.

— Ne me parle pas sur ce ton ! Je suis ta mère. Après les sacrifices que j'ai faits pour vous élever, pour t'élever ! N'oublie jamais ça.

153

— Je risque pas, dit-il. T'arrêtes pas de me le rappeler.

— Vous seriez sous les ponts, sans moi ! Sous les ponts ou employés des Postes à treize ans.

— On n'est plus au temps de Zola...

— Avec votre père, c'était Zola. Et ne me regarde pas comme ça ! Quand je pense à tout ce que j'ai fait pour vous ! Mon Dieu, que j'ai été bête ! J'aurais dû vous mettre à l'Assistance.

— Ça y est ! Ça recommence, murmura mon petit frère, mais elle ne l'entendit pas.

Elle poursuivait son monologue, se tressait des couronnes d'épines, se les enfonçait jusqu'à la garde et réclamait vengeance. Vengeance ! Elle ruminait, ruminait. Elle avait ses bêtes noires, celles sur la tête desquelles elle tournait en rond comme une mandragore crachant son venin.

— Et qu'est-ce qu'elle a de plus que moi, cette Mme Youbline ? Cette grosse vache laide comme un potiron, bourrée de varices, mariée à ce type délicieux. Hein, je te demande ?

— Elle est femme d'ambassadeur, soupirait mon frère, excédé, en agitant sa paille dans son jus de papaye.

— Elle est américaine, avec un mari américain, elle vit dans un palais avec l'air conditionné et la télé, des cocktails chaque soir, des robes de grands couturiers. Et qu'est-ce qu'elle a fait dans la vie pour mériter ça ? Rien. Ça lui est tombé tout cuit dans les bras et elle n'a plus qu'à reposer sa graisse en se faisant servir par des boys en pagne...

Il haussait les épaules et elle repartait.

— Alors que moi, je ferais une femme d'ambassadeur parfaite ! Parfaite !

Elle sifflait sa haine, vidait son verre et se resservait.

Elle devait rester sept ans à Madagascar. Sept ans à attendre, à surveiller dans le miroir les petites rides autour des yeux, à pester contre cette île où ne se posaient jamais de Boeing pleins d'Américains. Sept ans à suivre dans les journaux l'ascension fulgurante de *sa* voyante qui délivrait un horoscope à la radio chaque matin, publiait des livres de prévisions chaque année, passait à la télé et demandait maintenant mille cinq cents francs la consultation. Elle la maudissait, se maudissait d'avoir été si crédule, renversait son whisky sur le tapis de bridge et n'adressait plus la parole à ses collègues de l'école.

Au bout de sept ans, elle rentra en France, bredouille.

Regarder : Faire en sorte de voir, s'appliquer à voir quelqu'un ou quelque chose.

Dès l'ancien français, « regarder » se charge d'une signification intellectuelle ou morale : il exprime le fait de prendre en considération, d'accorder toute son attention.

Dérivé de garder « veiller, prendre garde à » (cf. égard).

Ils défilaient tous devant ma mère, mes prétendants. Tels des petits soldats de plomb qui passent l'inspection. Je l'ignorais mais je guettais son acquiescement pour me laisser aller au désir qu'ils m'inspiraient.

Je l'emmenais avec nous au restaurant, au cinéma, en week-end. Elle s'installait à l'arrière de la voiture et surveillait la nuque du conducteur de son regard noir. Disait ce n'est pas la peine de mettre du super, ça marche très bien à l'ordinaire, et pourquoi vous n'avez pas de diesel, ça c'est une vraie économie. Surveillait l'addition au restaurant et haussait les épaules, furieuse, quand la note était trop élevée. Leur demandait s'ils parlaient anglais, s'ils avaient une maison de famille, combien ils gagnaient, c'est cher payé, elle ajoutait, dans l'enseignement on ne gagne pas ça, et vous savez combien je toucherai comme retraite à la fin de ma vie, de ma pauvre vie ?

Je me retournais, je disais « maman... maman », je passais la main dans la nuque de mon compagnon pour apaiser la brûlure, je poussais le volume de la musique. Elle pressait les anses de son sac à main contre sa poitrine et répétait d'une voix sourde je sais ce que je sais et j'ai raison.

Il y avait toujours quelque chose qui clochait. Trop

vieux, trop jeune, pas mûr, pas raisonnable, pas de plan d'épargne-logement, un métier de saltimbanque, pas d'avenir. Et tu as vu ? Il a de grosses cuisses... Je ne savais pas que tu aimais les hommes forts. Il doit être lourd sur toi. Ça doit gâcher le plaisir. Moi, ça me gâcherait le plaisir...

Je crispais les mâchoires en un sourire volontaire qui écartait le malheur. Je l'apaisais. J'apaisais l'homme qui grinçait des dents. Lui disais elle est si seule, si seule, toute une vie à trimer, on ne peut pas la laisser dans son coin, après tout ce qu'elle a fait pour nous.

Toujours elle se plaignait. Lançait des regards mauvais. Serrait son sac à main contre elle. Se méfiait des voleurs. Puis, devant un corniaud aux oreilles cassées, au poil mité, elle s'agenouillait et dévidait une litanie de mots doux. Offrait son plus beau sourire à la petite vieille ratatinée qui avait du mal à marcher et lui donnait le bras pour traverser. Le corniaud lui léchait les mains, la petite vieille les embrassait. Elle avait des larmes plein les yeux : on l'aimait.

On l'aimait...

C'était la grande affaire de sa vie : l'amour. Elle pleurait sur les malheurs des princes et des princesses, insistait pour suivre, à la télévision, leur mariage ou leur enterrement, le cœur serré, le mouchoir collé au bord des yeux. Ils sont si beaux ! Elle était si jeune ! Mon Dieu ! Mon Dieu ! Voyait et revoyait *Autant en emporte le vent* et *Love Story*. Sortait du cinéma les yeux rougis, une petite fille que je prenais dans mes bras et que je consolais. Le malheur chez les autres ou à l'écran la rendait si vulnérable, si tendre, si abandonnée. Elle se blottissait contre moi et disait tu sais que je t'aime, tu le sais. Tu es ma petite fille chérie. Alors pourquoi es-tu si méchante avec moi ?

Méchante, moi ? je demandais, incrédule.

Oui, tu es si méchante, si méchante...Tu as toujours été méchante avec moi, depuis que tu es toute petite. A quatre ans déjà, tu me regardais droit dans les yeux comme une étrangère...

Une petite fille ne peut pas être méchante avec sa maman. Impossible. C'est le bout du monde une maman et tout l'univers avec.

Je lui disais allez, allez... on ne va pas recommencer.

Mais si...

Elle réclamait de l'amour et il fallait la remplir jusqu'à ras bord de cet amour que la vie lui avait refusé. Elle redevenait petite fille et serrait les dents comme une enfant qui a un gros chagrin. Boudait. Fermait les poings. Donnait des coups de pied dans les marrons. Répétait tu ne m'aimes pas, tu ne m'aimes pas, pour que je ressasse à l'infini des « mais si, je t'aime » qui s'évaporaient, ne la rassasiant jamais.

Si tu m'aimais, elle disait...

Et elle dressait une longue liste de conditions à remplir. Tu ferais ci, tu ferais ça, tu serais comme ci, tu serais comme ça. Mon amie Michèle, elle, a des enfants qui l'aiment, qui l'écoutent, qui font tout ce qu'elle leur dit...

Et son regard retombait sur moi, dur et tranchant, me rejetant dans la fosse aux lions. Me déclarant inapte à l'amour puisque je ne savais pas la combler.

Je ne trouvais jamais grâce à ses yeux.

J'avais beau donner, donner, elle était comme un puits sans fond. Impossible à remplir. Ce n'était jamais assez, jamais bien, jamais ce qu'elle attendait. J'avais toujours faux. Tout faux. Et si je prenais la parole et demandais qu'est-ce que je dois faire au juste ? Dis-le-moi..., elle me lançait un regard exaspéré et regardait au loin. Absente. Outragée.

Elle ne savait pas. Mais c'était de ma faute, toujours, et elle mettait mon incapacité à la satisfaire sur le compte de mon indélicatesse, de mon indifférence.

— Tu ne m'aimes pas, si tu m'aimais, tu saurais. Ça viendrait tout seul. L'amour, ça ne s'explique pas... L'amour, c'est donner sans jamais juger. Tu passes ton temps à me juger...

— Je ne te juge pas ! Je voudrais simplement qu'on arrive à se comprendre, à s'aimer...

— On n'arrive pas à s'aimer, on s'aime. Un point, c'est tout. Toi, tu me juges toujours...

Pour ma mère, juger consistait uniquement à ne pas être de son avis. Lui répondre était une offense. Elle nous confisquait la parole et installait la sienne en oracle. Oui maman, oui maman, oui maman, étaient les seuls mots qu'elle voulait bien entendre.

Je devais être le miroir qui lui répète chaque soir qu'elle est la plus belle, la plus forte, la plus intelligente, la meilleure des mères. M'incliner à ses pieds et lui obéir en toute chose.

— Moi je n'ai jamais jugé mes parents. Ils étaient mes parents et je leur devais obéissance et respect. Pourquoi crois-tu que je me suis mariée à dix-huit ans ? Parce que mon père avait décidé que tous ses enfants devaient quitter la maison à cet âge-là. Je ne lui en ai jamais voulu même si j'ai fait la bêtise de ma vie en épousant ton père pour la simple raison qu'il fallait partir...

— Peut-être que tu lui en as voulu mais que tu n'as jamais osé le lui dire...

— Je t'interdis de dire ça ! Je t'interdis. J'aimais mon père et jamais je ne l'aurais jugé !

— Ce n'est pas un crime que de ne pas être du même avis que ses parents !

— Tu es méchante, méchante...

Elle pleurait, me lançait des regards comme des coups de poing et me demandait de partir.

Elle me rendait impuissante et cette impuissance nourrissait ma colère. Je refusais son intransigeance, son silence haineux, je claquais la porte et jurais de ne plus revenir.

Je revenais.

Je lui offrais mes fiancés. Je les choisissais en fonction de ses goûts, de ses espoirs secrets. Ils étaient sa revanche sur la vie. Je n'étais que l'appât qui devait les conduire jusqu'à elle pour la guérir de ses rêves déçus. Moi, je lui donnerais l'homme de Madagascar qui essuierait ses larmes et la vengerait des affronts de la vie. Je serais plus forte que les boules de cristal, les Boeing de la Pan Am et les hasards de l'existence.

Je détaillais la marchandise pour la faire briller à ses yeux. Je vendais mes fiancés comme des articles de catalogue de luxe. J'avais les bras chargés de cadeaux pour lui arracher un sourire, un soupir de satisfaction.

Regarde comme il est beau celui-là, maman. Et fort et puissant. Il a le cheveu dru et les dents blanches. Le ventre plat et des muscles partout. Il possède un château, il parle anglais, il a une grosse situation, une grosse voiture. Il a vécu toute sa vie en Amérique...

— Il est américain ? demandait-elle, levant un œil plein d'espoir.

— Non. Français.

— Ah... soupirait-elle, déçue.

— C'est tout comme...

— Non. C'est pas pareil... Tu le sais bien que c'est pas pareil. N'essaie pas de me berner !

Je m'épuisais à la contenter. Je me vidais de mes forces et il ne restait plus que la colère pour me retenir au bord du précipice. Je criais, je hurlais que j'en avais assez, que rien jamais ne pourrait la rendre heureuse et elle me regardait, satisfaite. Elle jubilait, les dents serrées, le regard brûlant de victoire. Elle me tenait à sa merci : j'avais perdu le contrôle de moi-même. Ma colère la rendait importante, belle, séduisante. Je lisais sa satisfaction en un éclair dans son regard noir puis elle reprenait son rôle de victime et soupirait :

— Tu vois, ça recommence, tu ne m'aimes pas... D'ailleurs aucun de mes enfants ne m'aime. Je ne sais pas pourquoi. Toutes mes amies ont des enfants qui les aiment, sauf moi. Après tout ce que j'ai fait pour vous...

J'écumais. Partais en claquant la porte. Me frappais la tête dans l'ascenseur. M'écroulais en larmes. Butais dans chaque pierre, chaque trottoir, chaque tronc d'arbre. Rien n'était trop dur pour y passer ma rage.

Ma rage de ne pas être entendue, pas regardée. Niée. J'étais un vilain zéro qu'elle soulignait de rouge épais comme les copies qu'elle corrigeait le soir en fulminant contre l'ignorance de ses élèves.

Je voulais qu'elle m'écoute et elle ne m'entendait pas.

Je voulais qu'elle me voie et elle ne me regardait pas.

Je voulais qu'elle me fasse de la place, qu'elle m'encourage à occuper un espace rien qu'à moi. Elle ne me tolérait qu'en un lointain écho de ses propres paroles.

Je retombais en enfance face à elle. Je balbutiais comme les enfants qui se lancent, la peur au ventre, sur leurs premiers vélos sans petites roues, leurs premières balançoires, dans leurs premières brasses sans bouée. Regarde-moi, maman, regarde-moi. Porte-moi de ton regard. Empêche-moi de tomber, de me noyer. Donne-moi la force de me relever et de continuer. Dis-moi que je suis forte, courageuse, unique au

162

monde, que mes premiers pas, mes premiers mots, mes premiers dessins sont des réussites dont tu es si fière que tes yeux ne voient plus que moi, dessinent autour de moi un territoire, un halo de lumière où je vais pouvoir grandir, grandir, grandir.

Devant ses yeux aveugles, ses oreilles sourdes, ses lèvres scellées, je n'avais plus le choix. Je posais des bombes à ses pieds pour qu'enfin elle jette un œil sur moi.

Elle balayait mes bombes du bout du pied et elles m'explosaient en pleine gueule.

Ma rage ne servait qu'à la rendre encore plus victime, encore plus sublime de sacrifice sur l'autel de la maternité. Le cercle de ses amies se resserrait autour d'elle et la consolait. « Ma pauvre, après tout ce que vous avez fait pour eux, tout ce que vous avez fait pour eux... » Et elle, les poings crispés, le regard mauvais, répétait : « J'ai tout fait pour eux, je me suis usée, usée, j'ai gâché mes plus belles années. Et pour quoi ? »

Mon frère et ma sœur aînés avaient compris : ils étaient partis vivre à l'étranger, envoyaient des cartes postales laconiques, des cakes en hiver et des fleurs en papier en été. Elle encadrait les cartes postales, exposait les cakes et les fleurs comme des trophées illustrant ses qualités de mère parfaite et vantait les qualités de ceux-là mêmes qui l'avaient fuie loin, très loin.

Moi je restais au pied de la forteresse, déterminée à trouver la faille pour y pénétrer. J'inventais mille stratégies, mille stratagèmes qui ressemblaient plus à des manœuvres guerrières qu'à des serments d'amour. Et quand il me semblait qu'une porte du château s'entrouvrait, je bondissais armée et triomphante, me campais devant elle, déclinais mes victoires, mes succès, mes campagnes et réclamais mon dû : un regard, un simple regard qui me dise tu es formidable, ma fille, et je t'aime, un regard qui me signe, me fasse naître toute neuve dans ma nouvelle armure, et me permette de devenir la personne que je voudrais être. Sans ce regard, je restais enchaînée à son trône. Je tournais comme un chien enragé, entravé.

Elle me possédait et elle le savait.

Je revenais toujours tourner à ses pieds. Je remplaçais le catalogue de ses prétendants d'antan.

Il me fallait partir. Mais je n'avais pas la force encore...

Partir, grandir loin de ce regard qui me mutilait, me ratatinait, me transformait en naine impotente et méchante.

Je ne suis pas naine, je ne suis pas impotente, je ne suis pas méchante, je répétais, étourdie par le vide qu'elle ouvrait sous mes pieds.

Mais je suis quoi, alors ?

Il y avait le regard de la dame blonde et lisse. Le regard aigu qu'elle posait sur moi, les indications qu'elle me donnait, sans en avoir l'air, pour que je continue à forger mes mots, ma réalité, mon point de

164

vue, les livres qu'elle déposait sur mon bureau, en arrivant, le bras déjà tendu vers le téléphone, son sac-besace glissant de son épaule, venant heurter la pile de dossiers qu'elle tenait dans ses bras.

— Lisez, c'est pour vous... Oui, allô ?

Elle se laisse tomber dans son fauteuil, demande un café bien serré, grignote un bout de croissant, rien qu'un bout pour ne pas grossir, enlève sa boucle d'oreille, consulte son courrier et parle au téléphone.

Je prends le livre. *Demande à la poussière*[1] de John Fante.

Sur la couverture : une paire de jambes croisées, des escarpins en cuir tressé et des bas filés, rapiécés. Une photo en noir et blanc qui sent la misère et l'effort, les petites combines et les dollars durs à gagner, le cœur qu'on comprime et les rêves qu'on fait debout pour espérer. Je l'ouvre et mes yeux tombent sur la préface de Bukowski.

Les mots de Bukowski... Ils m'éclatent au visage : des feux d'artifice tirés à bout portant. Je la lis et la relis comme une lettre d'amour usée par trop de lectures, de pliages et de dépliages.

Je l'apprends par cœur et la récite dans les embouteillages, le soir pour m'endormir ou quand l'ennui en société menace de me faire piquer du nez. Elle sonne comme une promesse de victoire à ma portée. Les livres ne m'intimident plus, écrire n'est plus

---

1. Éd. C. Bourgois et 10/18. Traduction de Philippe Garnier.

réservé aux auteurs reconnus qui me toisent du haut de leurs étagères, de leur nom, de leur science. Il n'y a pas une seule littérature, une seule culture réfugiée dans les universités mais des livres débraillés qui déboulent de la rue avec des mots de tous les jours.

« J'étais jeune, affamé, ivrogne, essayant d'être un écrivain. J'ai passé le plus clair de mon temps à lire à la bibliothèque municipale de Los Angeles et rien de ce que je lisais n'avait de rapport avec moi ou avec les rues ou les gens autour de moi. C'était comme si tout le monde jouait aux charades et que ceux qui n'avaient rien à dire étaient reconnus comme de grands écrivains. Leurs écrits étaient un mélange de subtilité, d'adresse et de convenance, qui étaient lus, enseignés, digérés et transmis. C'était une machination, une habile et prudente "culture mondiale". Il fallait retourner aux écrivains russes d'avant la Révolution pour retrouver un peu de hasard, un peu de passion. Il y avait quelques exceptions, mais si peu que les lire était vite fait et vous laissait affamé devant des rangées et des rangées de livres ennuyeux. Avec le charme des siècles à redécouvrir, les modernes n'étaient pas très bons. Je tirais livre après livre des étagères. Pourquoi est-ce que personne ne disait rien ? Pourquoi est-ce que personne ne criait ? Un jour, j'ai sorti un livre, je l'ai ouvert et c'était ça. Je restai planté un moment, lisant comme un homme qui a trouvé de l'or à la décharge publique. J'ai posé le livre sur la table, les phrases filaient facilement à travers les pages comme un courant. Voilà enfin un homme qui n'avait pas peur de l'émotion. L'humour et la douleur mélangée avec une superbe simplicité. Je sortis le livre et l'emportai dans ma chambre. Je me couchai sur mon lit et le lus. Et je compris bien avant de le terminer qu'il y avait là un homme qui avait changé l'écriture. »

Je me jette sur les premiers mots du roman et j'ai le même éblouissement que Bukowski. Le même vertige. La même émotion. C'est si simple, je me dis, si simple. Il n'y a pas d'artifice, pas de grands mots qui font les importants, pas d'idées générales pour faire croire qu'on est intelligent. Pas de poses, pas de manières. Les mots de Fante coïncident avec lui, avec ce qu'il est, au fond de lui, avec son tous-les-jours. Petits ressorts qui s'enracinent dans son ventre, dans son cœur et affleurent sous la peau du lecteur. Je rebondis de l'un à l'autre et ne peux plus m'arrêter.

« Un soir, je suis assis sur le lit de ma chambre d'hôtel sur Bunker Hill en plein cœur de Los Angeles. C'est un soir important dans ma vie, parce qu'il faut que je prenne une décision pour l'hôtel. Ou bien je paie ce que je dois ou bien je débarrasse le plancher. C'est ce que dit la note, la note que ma taulière a glissée sous ma porte. Gros problème, ça, qui mérite la plus haute attention. Je le résous en éteignant la lumière et en allant me coucher. »

Le téléphone sonne, on me parle, on me tend un papier, on me dit que c'est urgent. Je n'entends pas. Mes coudes glissent sur mon bureau, font le grand écart de chaque côté du livre. Je mâche chaque phrase. Je suis assise sur le lit de Bandini comme j'étais cachée dans la chambre de Sergueï Karénine. « J'avais vingt ans à l'époque. Putain, je me disais, prends ton temps, Bandini. T'as dix ans pour écrire ton livre, alors du calme, faut s'aérer, faut sortir et se balader dans les rues et apprendre comment c'est la vie. C'est ça ton problème, tu ne sais rien de la vie. »

J'ai vingt ans et des poussières et je ne sais rien de la vie.

J'apprends à écrire parce qu'il me semble que c'est « ça » que j'ai envie de faire. Et je ne sais rien faire d'autre. « Ça » me donnera un début d'identité. Je n'ai pas d'argent. Je n'ai pas d'ami. Ou si, la dame blonde. Peut-être...

Mais je ne sais rien de la vie. Je la subis en donnant des coups de dents, au hasard, pour me défendre. Je suis impatiente, violente parfois, méchante. Je déteste ce monde où je n'ai pas ma place. Je déteste les gens qui ont l'air si à l'aise dans ce monde où je n'ai pas ma place. Je les déteste et je les envie. Comment font-ils pour parler, pour s'exprimer, pour avoir la peau si nette, les cheveux si bien coiffés ? Qu'est-ce qu'ils ont mangé ? Avec quel savon se sont-ils lavés ? Quels livres ont-ils lus ? Qui les a écoutés quand ils ont prononcé leurs premiers mots ? Qui les a encouragés, applaudis peut-être ? Ils sont nés tout armés. Protégés et sûrs d'eux. Je fais tout pour leur ressembler et je ne réussis qu'à les singer. Je suis une pauvre imitation de ce que j'imagine qu'il faut être. Je fais semblant tout le temps. Je deviens blonde, toute blonde. Le visage beige, tout beige. Le sourire éclatant, tout en dents. Et je n'attrape que des bribes de cette vie qu'ils semblent maîtriser avec tant d'aisance. Leur place est réservée, je me tiens debout, en équilibre, en liste d'attente.

Des bribes dans le désordre. L'homme gitan qui me sert de père, l'homme dans la grange déguisé en fermière, l'homme qui me découpe en petits morceaux, l'homme marron, l'homme gris, l'homme au bras tout petit. Des histoires où je suis victime ou bourreau sans jamais choisir. La vie m'a cogné dessus, je lui cogne dessus, et je ne comprends rien. Ça revient au même.

Je lève les yeux vers la dame blonde et lisse.

Elle parle toujours au téléphone et prend des notes de sa main libre.

Je me demande pourquoi elle fait tout ça pour moi. Pourquoi elle me donne des trésors sans rien demander en échange. Débit-crédit, débit-crédit, c'est ça la vie. Sa générosité me paraît louche. Toute générosité me paraît louche.

Et puis je ne me le demande plus.

Je me suis fait deux nouveaux copains : Fante et Bukowski. Ils vont parler à mon âme sans que je sois obligée de me pendre à leur cou et de les flinguer ensuite.

— Parfois, c'est toi qui te flinguais toute seule en t'offrant à n'importe qui. Comme l'homme aux grosses lèvres, le soir où je t'ai rencontrée...

— On ne sait jamais, je me disais, c'est peut-être le bon... J'avais tellement envie qu'on m'aime et qu'on me regarde.

— Tu étais prête à l'habiller de toutes les qualités, tu le transformais aussitôt en homme parfait et le hissais en haut des sommets. Il ne pouvait que dégringoler ensuite et toi, tu le détestais, tu étais malheureuse d'avoir été flouée. Mais tu t'étais flouée toute seule...

— Je ne tombais pas amoureuse parce qu'il était séduisant, plein de fric ou puissant mais parce qu'il me regardait... S'il me regarde, c'est que je vaux quelque chose. S'il me regarde, je déplacerai des montagnes pour lui...

— Tu déplacerais une montagne pour moi ?

— Je déplacerai toutes les montagnes pour toi. Je changerai les cours des rivières, je ferai fondre des glaciers pour que tu boives l'eau des névés, je soufflerai sur les neiges éternelles, elles viendront se poser sur ton front brûlant et apaiseront ta fièvre.

— Tu ferais tout ça ?

— Et plus encore... J'irai fouiller au fond de ton âme et j'en rapporterai des richesses ignorées. Je déverrouillerai les boulets qui t'entravent, les chaînes qui t'empêchent de grandir, je poserai des baisers

doux sur tes plus terribles blessures et elles se referme-
ront comme par enchantement, te laissant libre et fort
et beau et puissant.

— Et puis un jour, sans savoir pourquoi, tu me
renverras à mon désert où je mourrai de soif et de
chagrin...

— Un jour, en sachant très bien pourquoi, j'ac-
cepterai de t'aimer pour de bon. Parce que c'est toi.
Je veux réussir avec toi. Je suis fatiguée, fatiguée de
toujours répéter la même histoire. Je te donnerai mes
plus lourds secrets pour que jamais tu ne sois évincé.
Je t'expliquerai les humeurs de mon cœur, les minus-
cules rouages de mon désir. Je ne te cacherai rien.

Il me traitait avec tant de soin, l'homme en noir
au profil de statue.

Avec tant de méticulosité, tant de tendresse, tant
de générosité. Je recevais, les yeux écarquillés, ses tranquilles cadeaux qui, tous, me ressemblaient, venaient
se poser sur mon cœur, sur mon âme, sur mon corps
comme une nouvelle peau. Telle une terre privée
d'eau, craquelée, éventrée, je buvais son amour et me
reconstituais.

Il me regardait et, sous son regard, je devenais
géante.

Nous étions deux géants qui dominions le monde.
L'univers était trop petit pour nous. Nous en faisions
une mappemonde que nous arpentions en vainqueurs

arrogants, intrépides, sautant d'une grotte aux trésors à une autre. Jamais fatigués, jamais lassés, jamais compassés. Ignorants du danger. Invincibles. Inscrits dans l'éternité.

— Tu as mal à la tête ?

Il est parti pour quelques jours. Je dors, entourée de ses cadeaux, enveloppée dans son écharpe noire, son tee-shirt noir, son odeur d'aisselle brûlée, le téléphone dans la main.

— Je t'envoie un chèque pour l'aspirine...

Il s'occupe de moi. Se penche sur mon berceau. Ses mains ruissellent d'offrandes. Je suis son enfant, son nouveau-né, je me recroqueville dans sa paume. Puis il me prend dans ses bras et devient un autre, mystérieux, terrifiant parfois ou si doux, violent ou patient, m'entraînant dans une multiplication de mon être que je découvre, stupéfaite. Jamais le même, jamais la même. Je touche du bois pour que ce bonheur dure et que personne, personne ne lui coupe les ailes.

Je veux savoir : c'était comment avec « les autres » ? Avec celles que tu as aimées avant moi.

Raconte-moi, raconte-moi les autres. Que j'égratigne la peau de mon cœur puis enfle de fierté de les avoir toutes remplacées, toutes effacées.

Je me penche sur toi et te souffle ma question.

172

Tu es allongé dans le lit. Tu me prends la tête entre tes mains, tu me fixes de ton regard noir. Tu parles d'une voix forte qui scande les mots, les imprime dans ma tête comme les commandements sacrés sur la pierre.

— Tu es la première, la première que j'aime de toutes mes forces. Les autres n'étaient que des rencontres, des brouillons que je jetais, des arrangements, des associations. C'est toi que j'attendais. Les autres, je ne veux pas en parler !

— Non, ne triche pas, dis-moi... Cela ne m'ennuie pas, tu sais.

— Je n'ai pas envie d'en parler, je ne suis pas comme toi à tout raconter ! Je n'ai rien à dire.

Je te supplie, je me coule contre toi, je t'enserre de mes bras, de mes jambes pour t'attendrir, t'ouvrir le cœur, t'arracher des confidences. Tu balaies l'air d'un geste large, énervé.

— C'est inutile... Cela n'a aucune importance. L'important, c'est toi et tu le sais.

— J'ai envie de savoir.

— De savoir quoi ? Des sentiments qui n'existent plus, des émotions passées, oubliées ?

— Je veux te connaître, c'est tout. J'aurais aimé te connaître tout petit à l'école, soufflant tes bougies d'anniversaire, regardant la neige tomber pour la première fois, ouvrant tes cadeaux de Noël en robe de chambre, donnant des baisers sur la joue de ta

173

maman, apprenant à nager, à jouer des gammes sur ton piano, à...

Tu me repousses, excédé. Tu t'enfermes à l'autre extrémité du lit, les bras croisés. Tu ne dis plus rien mais je sens ta colère, je devine ton besoin de tout effacer, tout oublier. Froid et glacé. Tu fixes un point sur le mur avec une méchanceté qui rend tes prunelles noires et liquides, effrayantes.

— Tu es fâché ?

— Et pourquoi je serais fâché ?

— Je ne sais pas. Mais je sens qu'en ce moment précis, tu me détestes.

— Tu dis ça comme ça ? Si légèrement ? Ça t'est égal que je te déteste ? Tu es si sûre de toi ?

Je fais oui de la tête et l'incline doucement sur le côté. Je suis sûre que tu m'aimes plus que tout. Quand tu me prends contre toi, que tu me caresses, c'est mon corps que tu réinventes à chaque fois, et je deviens chaque jour plus belle entre tes bras. Je te souris, je t'envoie un souffle léger et doux qui dit je t'aime tu sais c'est pour cela que je veux tout savoir de toi, je tends un bras vers toi pour faire la paix. Tu m'arraches le bras, m'attires vers toi avec tant de violence que je te regarde, hébétée. Tu me serres contre toi, t'allonges sur moi et me pénètres avec rage. Je reste muette, inerte, pantin de chair qui se laisse posséder. Alors tu t'enfonces en moi sans me regarder, en repoussant mon visage de ta main pour ne pas le voir. Besoin furieux de m'absorber, de me faire tienne, de m'effacer jusqu'à ce que je ne fasse plus qu'une seule bouillie avec ta chair. Et quand vient l'apaisement, quand tu te rejettes sur le côté sans un mot, sans un regard, je replie mon coude sur mes yeux et pleure comme un bébé.

— Tu m'as fait mal...

Tu ne me regardes pas, tu ne me prends pas contre toi, tu dis seulement de ta voix dure et étrangère :

— Parfois, je te déteste...

— Moi aussi, je te déteste.

— Eh bien ! voilà... On est quittes. Tu peux partir si tu veux, je ne te retiendrai pas.

Tu parais si froid, si calme, si détaché que j'en ai des frissons dans tout le corps.

— Tout ça parce que je t'ai demandé de me parler de ton passé ! Tu as donc été si malheureux...

— Arrête de vouloir examiner mon passé à la loupe, tu as compris ? Mon passé n'existe pas. Cette sentimentalité bébête qui veut tout expliquer en devinant si j'ai été un petit garçon heureux, si j'ai souffert, si j'ai été cocu... Cette manie qu'ont les femmes de jouer les infirmières ! Je te déteste quand tu es comme ça, quand tu te rabaisses à ça ! Tu ne comprends pas qu'on vit quelque chose de merveilleux, de lumineux et que je n'ai pas envie de comparer ? Tu ne comprends pas ça, pauvre idiote !

Je ne comprends pas comment on a pu en arriver là. A partir d'une simple question. Tu enrages pourquoi ? Parce que je repars un instant en arrière et que je veux te connaître mieux en apprenant ton passé ? Depuis qu'on se connaît, tu m'enfermes dans une solitude totale, une solitude armée où tu montes la garde, farouche. Tu me sollicites, poses mille questions, veux tout savoir de moi, me portes dans mon bain, me laves les cheveux, le visage, refuses que je sorte un sou de ma poche. Tu as tout fait pour que l'on soit emprisonnés dans une histoire, notre histoire où tu règnes comme un monarque absolu et décides de tout. Je t'obéis, heureuse et légère, mais lorsque je te pose une question, une question idiote de femme amoureuse et curieuse, tu te dresses en ennemi et me refuses ce que je t'accorde généreusement.

Tu te venges de quoi ?

Parfois, il émet des fausses notes.

Il prend une drôle de voix pour se moquer des autres. Il s'agit toujours de femmes qu'il imite d'une voix de fausset, une voix stridente qui détonne dans son corps massif. Elle semble venir d'ailleurs, cette voix aiguë, mauvaise. Une voix de cauchemar grêle, obsédante. Une voix de vieille femme ventriloque. Ces femmes animées par sa voix deviennent soudain des marionnettes ridicules, monstrueuses. Et il devient soudain haineux et menaçant. Comme s'il avait un compte à régler avec elles.

— Mais elles ne t'ont rien fait, ces femmes ?

— Non, elles ne m'ont rien fait..., il répond, étonné.

Je me bouche les oreilles, mal à l'aise. Ce n'est pas lui, c'est quelqu'un d'autre qui parle à travers lui.

— On dirait Anthony Perkins dans *Psychose*... J'ai peur de cette voix. Si peur...

— Tu ne peux pas dire ça ! Tu te rends compte ? Comment peux-tu dire ça ? Comment ?

Il est froid comme la pierre de sa statue et me regarde de haut, de loin. Je suis sa plus terrible ennemie.

— Je ne te le pardonnerai jamais !

On se toise mais je ne baisse pas les yeux.

On roule à chaque bord du lit, on tire un oreiller, la couverture, on s'enroule dans les draps comme dans des bandelettes, on se confectionne des sarcophages pour isoler nos corps indifférents à nos querelles. On dort toute la nuit séparés par ses mots, séparés par mes mots.

Le lendemain matin, son bras se pose sur mon épaule, son grand corps se rapproche et sa bouche murmure, conciliante :

— Je ne le ferai plus...

— S'il te plaît, s'il te plaît... J'ai l'impression que tu détestes ces femmes, que tu détestes toutes les femmes quand tu parles comme ça.

Il pose sur moi un regard chaviré, un regard d'enfant réveillé en plein mauvais rêve. Je le prends dans mes bras, le berce, le rassure et il s'apaise, étonné d'avoir été emporté si loin par une force mystérieuse, maléfique.

Parfois aussi...

Parfois, il humecte délicatement son index de la pointe de sa langue rose et le passe sur son sourcil en suivant lentement, lentement l'arc du sourcil, la bouche entrouverte, la langue dépassant à peine, le petit doigt recourbé, et on dirait une vieille femme hébétée qui se maquille. Je frissonne et détourne les yeux. Je ne veux pas le voir en vieille femme qui se maquille...

Parfois...

Parfois, à table, il s'empare de mon couteau, de ma fourchette et ordonne : ouvre la bouche, ne dis rien et mâche, mâche jusqu'à la prochaine bouchée que je t'enfournerai. Tu es mon bébé, mon bébé unique, et tu dois m'obéir. Son regard me fixe, ses yeux roulent dans leurs orbites, débordent, se liquéfient, lave noire et menaçante, et j'ai peur, si peur que je laisse tomber le couteau, la fourchette et ouvre la bouche docilement...

Parfois...

Parfois, quand nous faisons l'amour, quand nous lançons toutes nos forces blindées contre l'autre, le défiant, le blessant, l'acculant dans ses derniers retranchements, il me crache en plein visage, il m'injurie, me traite de tous les noms, tous ces mots qui appartiennent à la violence des nuits et qu'on ne peut retranscrire en pleine lumière. Son corps tremble, sa bouche se tord, mille démons dansent dans les coups de ses reins contre les miens, dans les coups qui pleuvent sur mes lèvres, mes seins, mon ventre et un soulagement infini s'inscrit sur son visage quand tout est terminé. Enfin en paix, disent ses yeux, sa bouche, ses lèvres, ses épaules qui se détendent.

Enfin quitte...

Il dépose des baisers tels des ex-voto sur mon corps ouvert, me transformant en sainte icône d'église désertée. Des baisers qui louent mon abandon sans condition, sans restriction. Mon pardon pour des fautes d'un autre temps...

Je m'essuie le visage, recouvre mon corps meurtri du drap blanc, chiffonné, et me surprends à penser que cette violence inouïe ne m'est pas destinée. Elle vient d'un passé que j'ignore et que je compte bien explorer.

Qui est cette femme qui l'a tant fait souffrir ? Que s'est-il passé entre eux ? Quel est ce fantôme qui revient et lui donne envie de se venger ?

Mais l'ennemi est là qui veille.

Qui voit tout, note, observe, récrimine. Pas normal, me dit-il, pas normal. Cet homme est vicieux, vicié. Ce n'est pas l'homme qu'il te faut.

Pas cette fois-ci, je lui dis tout bas, pas cette fois-ci. Tu ne m'auras pas comme ça. Après tout, il m'arrive moi aussi de me moquer des autres en imitant leur voix ou leur allure, de me tordre en courtisane effrontée, de murmurer des insanités pour attiser le désir, inventer un monde interdit où tout est crime, châtiment et rédemption. L'amour physique est fait pour ça. Pour se lâcher, se laver, renaître propre comme un sou neuf. Tu ne peux pas le comprendre, toi qui tiens des comptes, des règlements de tous les comptes. Au petit matin, on se réveille émerveillés d'avoir posé nos corps ailleurs, l'espace d'une nuit. Dans cet univers interdit qui est le nôtre : le sien et le mien. L'air y est plus pur, le sais-tu ? Même s'il paraît plus glauque, plus lourd à respirer... Même s'il pue, parfois.

C'est une manière de s'affranchir, d'approcher au plus près nos blessures les plus profondes, les plus immondes, de s'y vautrer, de les exorciser. C'est l'histoire secrète des amants qui jamais ne devrait être racontée parce que les mots sont petits, étriqués, voyeurs, pas assez généreux et libres. L'histoire de folies qui s'emmêlent et se parlent à l'oreille telles des confidentes trop longtemps séparées, esseulées. Une compassion folle et muette que seuls les corps permettent, transmettent. Chacun laisse entrer en lui la violence désespérée de son amant, de son amante, et reçoit le récit des blessures jamais dites. L'accueille dans sa chair, se laisse fouiller, meurtrir, saigner s'il le faut.

Ah ! Ah ! reprend-il, jamais à court d'arguments, et ces manies de vieille femme qui surgissent dans ses gestes les plus anodins, n'y vois-tu rien de malin ? Le mal est plus profond que tu ne veux le reconnaître.

Je ne dis plus rien.

Puis je dis : moi aussi, j'ai des manies de garçon. Je marche comme un garçon, j'enfonce les mains dans mes poches, je porte des grosses chaussures, je fourre mon doigt dans mon nez, je jure, je crie, je me bats s'il le faut, je regarde droit dans les yeux le garçon qui me plaît.

Il n'insiste pas. Il attend.

Moi aussi, j'attends. Décidée à le terrasser.

Décidée à aimer. Pour de bon. Aimer l'autre. Lui laisser de la place, le laisser pénétrer dans mon intimité.

Il faut du courage pour être heureux.

Elle nous avait appris à être gentils.

Avec les voisins, les étrangers, les commerçants, les relations, les gradés, les supérieurs. Ils étaient importants, ces gens-là. Ils pouvaient servir. A quoi ? On ne savait pas très bien. La vie est un combat, répétait-elle, il ne faut négliger aucun allié, se les mettre dans la poche au cas où.... C'est votre avenir que j'assure, pour vous que je me plie en quatre, que je mendie. Bonjour madame Geneviève, bonjour monsieur Fernand, comment allez-vous ? Votre robe est exquise, votre chapeau si élégant, votre grand garçon si charmant. Il paraît qu'il travaille bien au lycée. Il a l'âge de ma fille aînée. Ils pourraient sortir ensemble de temps en temps ?

Nous, les enfants, on ne se posait pas de questions.

181

Elle avait sûrement raison. La vie est précaire, il vaut mieux la ménager et avancer nuque courbée. On ressemblait aux tournesols qui s'épanouissent au soleil et se ratatinent, la nuit. On se dépliait en société, on souriait, on se tenait à quatre épingles, on en rajoutait des louches et des louches. Irréprochables et « si gentils ». La famille Trapp. Tous en rang. Souriants, appliqués, les cheveux peignés, pas un faux pli ni un faux pas. Ronds de jambe, ronds de bouche, ronds de chapeau. Elle marchait en tête de sa petite famille, générale galonnée si méritante, si courageuse. Elle grappillait ainsi des rabais chez la teinturière, une visite gratuite chez le pédiatre, un duffle-coat trop petit, une paire de souliers vernis, des salades vertes en été, du gibier en automne, une vieille télé, des strapontins à l'Opéra, un stage pour l'aîné, une invitation à prendre le thé chez une vieille tante « qui possède des biens », un carton pour une soirée dansante afin de caser les deux aînés dans la bonne société.

Elle était touchante dans sa mendicité.

Elle voulait que les autres, tous les autres, aient une bonne image d'elle, qu'ils l'aiment, qu'ils l'invitent à nouveau à leur table de nantis, qu'ils ne se contentent pas de lui donner des miettes de leurs richesses mais qu'ils l'acceptent en leur compagnie. Qu'ils lui trouvent un emploi, un mari, une barrette de gradée. Un statut pour exister. Elle n'en pouvait plus de n'être personne, petite fourmi habillée de gris qui trimballait des fardeaux trop lourds sur son dos. Elle voulait qu'on la regarde, qu'on la considère, qu'on lui donne sa place. Et cela ne pouvait s'obtenir qu'à travers de riches et puissants protecteurs ou, en attendant mieux, de menus trafics d'influence. Elle nous poussait comme des pièces sur un échiquier : le salut pouvait venir de l'un de nous aussi. Elle mettait une sorte d'allégresse forcée dans ses expéditions sociales lorsque, chaque dimanche, nous allions visiter des familles modèles pour tenter de nous intégrer.

Quand on refermait la porte de la maison, le soir, les civilités s'arrêtaient net. On enlevait nos beaux habits, on oubliait les beaux mots polis, on décrochait les sourires de commande. La fatigue, la lassitude l'envahissait. Elle écaillait machinalement le vernis rouge de ses ongles et criait : dépêche-toi, attends, j'ai pas le temps, débrouille-toi, fais ci, fais ça, tais-toi, plus vite, au bain ! au lit ! à demain ! Elle posait les yeux sur son intérieur et soupirait. La vie ne l'avait pas servie comme elle le méritait. Et sa bile remontait en une noire colère contre le responsable de tous ses maux : notre père.

Les petites fourmis habillées de gris, méritantes et obstinées, mécaniques et coriaces, celles qui cheminaient à ses côtés, dans le même sillon obligé, tous les jours de la semaine, ne lui inspiraient que dédain et hargne. Aucune pitié pour ces pauvres gens qui lui ressemblaient pourtant. Elle les raillait de n'être pas brillants, « arrivés », « distingués ». Elle se brouillait avec ses frères, avec ses sœurs qui se contentaient de leur petit pré

183

et du pain quotidien. Dénigrait ses collègues, prenait un air condescendant ou faussement apitoyé en évoquant le mari de l'une, les enfants de l'autre, leurs quatre-pièces en mauvaise banlieue ou leur berline d'occasion. Si elle continuait à les fréquenter, c'était pour se rassurer : elle leur était supérieure. En grandeur d'âme, en beauté, en sagesse. En ambition, surtout.

Nous les frères et sœurs, on l'imitait. A la maison, on ne se parlait pas, on aboyait. On ne jouait pas, on se disputait. C'était la règle. Le salut venait de l'extérieur ; la trahison, les règlements de comptes, les disputes, l'énervement étaient réservés au doux foyer de la famille.

— C'est peut-être pour cela que je ne suis pas très douée pour l'intimité. Ou que je suis si féroce quand on m'approche... Je ne peux pas imaginer qu'on me veuille du bien, alors je me recroqueville et sors tous mes piquants.

Je te raconte pour que tu saches, que tu comprennes. C'est un début d'intimité, ça, je te fais remarquer. Je ne l'ai jamais raconté à personne.

On s'est arrêtés dans un salon de thé ; j'hésite devant le chariot à gâteaux qui brille de génoises moelleuses, de macarons croustillants, de crème fouettée, de chocolat marbré, de coulis de fruits rouges. Tu fais signe à la dame qu'on veut tous les goûter, tous les manger, qu'elle nous apporte plusieurs assiettes, plusieurs petites cuillères, qu'elle ajoute une table, deux s'il le faut. Elle te regarde, étonnée. Tu t'énerves et répètes ta demande d'un ton sec qui n'admet pas la contradiction. Elle s'exécute promptement.

— Et chez toi ? C'était comment ?

Tu hésites avant de répondre puis secoues la tête comme si ce n'était pas intéressant.

— Oh ! Une famille normale... Mes parents se sont beaucoup occupés de moi. Ma mère surtout. J'étais fils unique...

— Elle est comment, ta mère ?

— Comme une mère, je suppose. Je n'ai pas d'histoires à raconter. Je ne me souviens pas très bien. Et puis je n'ai pas envie de parler de ça...

— Pourquoi ?

— C'est si banal...

— Aucune enfance n'est banale...

— La mienne l'est. On parle d'autre chose ?

Ta voix a la même inflexion autoritaire qu'avec la serveuse et je me tais. Je ne sais rien de toi. J'ouvre la bouche pour poser une nouvelle question et tu me bâillonnes. D'un geste autoritaire, tu écrases ta main sur ma bouche et la maintiens fermement. Je ne peux plus parler, ni respirer, ni même tourner la tête. Tu me tiens enfermée dans la paume chaude de ta main.

— Ma famille, c'est toi maintenant. Rien que toi... Je veux faire ma vie avec toi. Je veux me marier avec toi. Je m'occuperai complètement de toi. Je serai là pour tout, pour tout...Tu es ce que j'ai de plus important au monde. Tu es ma femme, mon adorée, mon esclave, mon bébé. Toute notre vie ensemble ne sera qu'une longue nuit de jouissance infinie. Tu ne sais pas ce qui t'attend encore... Attends-toi au pire, au meilleur du pire.

J'étouffe et je suis glacée. Je regarde les gâteaux disposés comme les rayons d'une roue de bicyclette dans mon assiette. La lame argentée et tranchante de la pelle à gâteaux en dépose de nouveaux, les serre les uns contre les autres, écrase les collerettes en papier pour faire de la place, les dispose l'un sur l'autre pour que tout tienne ; ton doigt pointé sur le chariot ordonne de tout mettre, de ne pas en oublier un seul. Le glacis marron d'un éclair au café disparaît sous un baba au rhum étincelant de crème et de liqueur ambrée. Je n'aurai pas le courage de l'avaler, ni lui, ni les autres, ni rien qui vient de toi.

Je repousse la table, me lève et détale. J'atteins la rue, une encoignure de porte et je vomis, je vomis...

Le lendemain, je t'ai écrit une lettre.

Ce n'était pas l'ennemi qui la dictait, c'était moi seule. J'avais peur. Une peur viscérale devant cette offrande démesurée, cette offrande de toi, jetée à mes pieds.

J'ai retrouvé ce mot. Il était tombé derrière le fax. Je l'ai posé à plat sur mon bureau et je l'ai relu.

« Il ne faut pas me dire des choses brusquement, comme hier, dans le salon de thé. Je ne peux pas les entendre, je ne suis pas prête. Ne me donne pas de l'amour à grandes louchées, je ne peux pas l'avaler. C'est comme si tu gavais un affamé du Sahel, tu le ferais crever.

Aimer, je ne sais pas, j'imagine, j'essaie de savoir avec toi... Aimer, c'est savoir ce dont l'autre a besoin et dans quelle quantité. Ne pas le bousculer, ne pas le prendre d'assaut. Ce n'est pas seulement répondre à *ton* besoin de donner, d'aimer, c'est s'adapter à l'autre. Je ne peux pas prendre tout ce que tu me donnes en insistant si lourdement. Cela me donne envie de régurgiter... Je t'en supplie : écoute-moi, sois patient, avance lentement... »

Je ne savais pas encore que je te demandais l'impossible.

Tu me répondis aussitôt.

Un mot très court. « Le jour où tu auras compris qu'un homme qui t'aime n'est ni transi ni méprisable, tu seras enfin libre. »

Ce fut notre première dispute.

La première fois que je sortis du cercle enchanté que tu avais dessiné autour de moi et que je criai Pouce !

Retourne avec ces hommes qui viennent te chercher en voiture, qui se garent en double file, qui klaxonnent « Tutt-tutt » et qui s'écrient, impatients, énervés, « tu viens, chérie, qu'est-ce que tu fous ? On va être en retard... J'ai eu une journée épuisante ». Fais

des enfants avec eux, achetez un beau petit pavillon. Il rentrera le soir pour mettre les pieds sous la table et demandera en dépliant sa serviette : « Qu'est-ce qu'on mange ? Les enfants sont couchés ? » Retourne avec ces hommes-là, tu ne me mérites pas.

Moi je m'occuperai de toi, de ta tête, je la remplirai de mille mots, de mille merveilles qui feront naître d'autres mots, d'autres merveilles qui sortiront tout armés de ta bouche, de ta plume. Je te rendrai importante, sûre de toi, solide. Je m'occuperai de ton corps centimètre par centimètre, je l'explorerai, je le caresserai, je ferai jaillir du plaisir de chaque pore de ta peau. Ce sera la grande affaire de ma vie de te donner du plaisir... de te traiter comme une petite reine. Personne ne t'a jamais regardée. Les hommes ne regardent plus les femmes. Les femmes ne regardent plus les hommes. Ils exigent, elles réclament. Ils s'enfuient, elles menacent. Ils vont chacun de leur côté, de plus en plus tristes et solitaires. De plus en plus amers...

Je retournai dans le cercle des sorcières. Pour faire le point. Prendre leur avis. Tourner autour du chaudron bouillant de leurs colères. Retrouver leur chaude intimité, celle de mes semblables, de mes sœurs, de mes écorchées vives. Elles ne dansaient plus au clair de lune, elles ne martelaient plus le sol de leurs gros godillots cloutés, elles avaient posé leur balai et m'écoutaient, interloquées.

— Tu es folle ! Tu ne sais pas la chance que tu as ! s'exclama Christina, la mine gourmande. Si tu n'en veux plus, donne-le-moi... J'ai faim de cet homme-là. Et les gâteaux, tu n'en as pas mangé un seul ? Même pas un petit morceau de macaron au chocolat à la meringue croustillante et craquante sous les dents ?

— C'est le Prince charmant et tu le transformes en crapaud ! Cours vite l'embrasser avant qu'il ne déguerpisse, écœuré ! Vous avez tout pour être heureux, vous aimez les mêmes choses, vous parlez la même langue, il est libre, tu es libre, il t'offre le monde entier et tu le repousses du pied ! Qu'est-ce qui te prend ? Tu veux finir comme moi ? A ranger des placards en reniflant..., soupira Charlie qui ne prenait plus jamais d'avions et attendait le prochain embarquement, le prochain emballement.

— Fais attention, dit Anouchka, les hommes attentifs et aimants ne courent pas les rues. Tu le regretteras si tu le laisses tomber en route... Il te prend comme tu es. Il aime tout de toi. Il ne te demande pas de te déguiser pour lui plaire.

Elle marqua une pause et ajouta :

— Chaque fois tu t'enthousiasmes, chaque fois tu t'arrêtes net. Tu t'empares de détails insignifiants que tu retournes en armes blanches contre l'insensé qui ose t'aimer ! C'est l'occasion de faire un travail sur toi et de comprendre pourquoi tu ne veux pas qu'on

t'aime. C'est ce que je fais, et j'apprends, j'apprends...
J'en apprends de belles sur moi !

Elles avaient quitté leurs oripeaux de sorcières,
revêtu leurs plus belles robes de bal, enfilé leurs pantoufles de vair, et rêvaient à mon preux chevalier,
accoudées aux fenêtres en ogive du château. Elles
guettaient un homme comme celui que la vie m'offrait d'un coup de baguette magique.

Seule Valérie gardait le silence. Je me tournai vers
elle, pleine d'espoir.

— Tu comprends, toi, que c'est dur de recevoir
tant d'amour avec tant de force, tant d'assurance...

— Il doit comprendre. Il doit t'écouter. Explique-
lui encore... mais si tu as eu envie de courir si vite, si
loin de lui, c'est que tu as senti un danger. Lequel, je
ne sais pas et tu l'ignores encore. Fais-toi confiance.
Fais confiance à tes émotions, à ton intuition mais
donne-lui peut-être une autre chance. Donne-toi une
autre chance...

Et elles me renvoyèrent dans le labyrinthe de mon
amour avec mission d'abattre les dragons qui me
mangeaient le cœur, d'arracher toutes les ronces qui
me cachaient la lumière. J'étais leur missi dominici
et, si je réussissais, c'est le flambeau de l'espoir que je
leur rapporterais. Je ne me battais pas seulement pour
moi, je portais aussi leurs espoirs.

Très vite, le manque est venu rôder.

Le manque de toi, réfugié sur ton piédestal.

Il s'est pointé comme un mari trop attentionné dont la ferveur est irritante, déplacée. Arrête, laisse-moi tranquille, tu ne vois pas que tu m'ennuies à me poursuivre de la sorte ?

Le manque ne se laisse pas rabrouer. Il s'installe en maître. Il s'infiltre dans son royaume : l'imagination. Il produit des diapos, des photos, des instantanés qui glacent le sang.

Que fait-il en ce moment ton bel amant ? a-t-il murmuré à mon oreille. Ne déjeunerait-il pas avec deux ou trois jeunes femmes attentives à ses propos, sensibles, comme toi, à cette voix profonde, caressante, impérieuse, à cette stature d'amant puissant et généreux, à ce regard pénétrant qui lit au fond de vous ? L'une pose sa tête sur sa main retournée et l'écoute en le goûtant des yeux, l'autre invente une excuse pour se rapprocher de lui et la troisième lui glisse, en partant, son numéro de téléphone plié en trois...

Le manque est un metteur en scène imaginatif et primesautier. Il sort sans cesse de nouvelles situations de sa manche et les anime d'un claquement de doigts.

Sais-tu, siffle-t-il, habile, que lorsqu'on est aimé, on rayonne de mille grâces invisibles, on se pare de mille charmes nouveaux ? On attire les âmes gourmandes et sensibles, celles qui rôdent à la recherche d'un frisson, d'une aventure. Elles devinent qu'une autre est là, tapie sous la peau de l'homme qu'elles regardent et immédiatement convoitent. Elles l'ont peut-être déjà vu cent une fois cet homme-là mais ce soir, elles le regardent différemment. Et de savoir qu'une autre femelle a jeté son dévolu sur la peau de cet homme, cet homme qu'avant elles ne regardaient pas, leur donne envie de relever le défi. D'en goûter un morceau. De l'emporter tout entier.

Et pourquoi pas ? ricane le manque, c'est humain. L'amour n'est pas qu'une histoire de beaux sentiments... et il s'éloigne en riant, les mains dans les poches, me laissant inquiète et malheureuse, enfermée dans un malheur que j'invente aussitôt, ouverte à de nouvelles souffrances qui ne rendront mon plaisir futur que plus délicieux.

Le manque de toi devient, alors, violent.

Il m'emmène dans une dérive où je n'ai plus le goût de rire, de chanter, de m'étirer au soleil, de suçoter le coin négligé d'une tartine, de faire le clown pour refiler aux autres un peu de mon bonheur. Je suis triste soudain, rabougrie, éteinte. Recroquevillée, exsangue. Le manque est trop fort. C'est lui le maître. Il est plus fort que l'amour même. Il veut toute la place et efface le souvenir des plaisirs et du bonheur partagés. Je suis le manque tout-puissant, vous devez trembler devant moi, tout me donner car je suis insatiable, un ogre, un vampire, un serial killer de bonheurs avoués et énoncés à haute voix.

Il s'infiltre dans le cœur de sa victime et lui suce l'humeur qu'un instant auparavant elle avait rose et tendre. Elle pensait à lui, le seul homme au monde, la seule chair délicate à déguster, la seule âme avec laquelle converser. Elle se laissait aller à arrondir les bras et la bouche de bonheur délicat, à esquisser un sourire aux anges, des sauts enfantins, à dessiner un monde d'enchantement toujours renouvelé, de cruauté délicieuse. Et il l'arrête net, d'un coup d'épingle. Il l'écartèle et la pique de part en part.

Oh ! l'exquise douleur : il en **rega**rde une autre !

La souffrance m'étourdit comme un violent plaisir, pour me laisser pantelante, le cœur dévasté mais sûre d'exister, de me torturer pour lui.

Toujours lui, encore lui...

Le manque accomplissait son travail inexorable et je n'avais pas la force de lui résister.

Je décrochai le téléphone, composai ton numéro. Me raclai la gorge.

— C'est moi.

— On part demain au bord de la mer. Un copain me prête sa maison. Je viens te chercher à dix heures en bas de chez toi.

Par la fenêtre de la voiture, je regarde la campagne normande.

J'évite ton regard.

Il parle, ton regard. Je l'entends qui demande pour-quoi ? Tout ce que je t'ai dit, ce jour-là, dans le salon de thé, tu le savais déjà. Pourquoi rejeter ces mots que tu murmures toi-même dans l'impunité de nos nuits, que tu réclames en tendant tes jambes, tes bras vers moi ? Pourquoi laisses-tu ton corps dire ce que tu ne veux pas entendre de ma bouche ?

Je te tourne le dos mais j'écoute ton regard.

De dos et en silence, je peux tout entendre.

De dos et en silence, j'ai envie de me jeter contre toi.

Dans l'immobilité violente de notre étreinte, sur le trottoir en bas de chez moi, je t'ai tout dit. Je me suis précipitée si fort dans tes bras que tu as reculé pour mieux recevoir mon poids. Le poids de ces quelques jours d'absence que je ne pouvais plus porter, que je remettais entre tes mains pour que tu l'effaces en refermant tes bras autour de moi.

J'étais rendue au port. J'avais le sentiment profond et religieux que je pouvais poser mes bagages, poser mon âme et mes interrogations, mes questions jamais résolues entre tes bras d'homme fervent et fort. Me mettre complètement à nu. Tu prenais tout de moi, d'une seule poigne lourde et légère. Tu m'aimais en entier et en particulier, me rendant à la fois entière et particulière. Je n'avais plus rien à te cacher, plus rien dont je devais avoir honte puisque tout était reconnu. Tu posais tes yeux sur moi et tu me donnais vie.

194

Sans ton regard attentif et brûlant, sans tes bras autour de moi, je ne sais plus marcher, je ne sais plus parler, je ne sais plus écrire. J'ânonne la vie comme une enfant qui apprend à lire.

De mon index gant de laine, j'écris sur la buée du pare-brise : « Sans toi, je ne sais pas. »

Tu lances un bras vers moi et m'attires tout contre toi. Tu me frottes le crâne, tu me serres contre les boutons de ta veste, tu renverses la tête et laisses éclater un rire profond et victorieux.

On file à toute allure sur une route de campagne. Les arbres se penchent pour nous laisser passer sous leur maigre voûte d'hiver.

Muets.

« Je ne vais pas te parler, je vais penser à toi quand je serai assis, seul, ou quand je veillerai, la nuit, seul.

Je vais attendre ; je n'en doute pas, je vais te rencontrer de nouveau.

Je vais prendre garde à ne pas te perdre. »

Walt Whitman, « To a Stranger », *Leaves of grass*.

Une petite maison, au bord de la mer, acccrochée tel un bigorneau gris sur une falaise de craie blanche trouée de limon rouge, le cri des mouettes gourmandes qui tournent au-dessus de nous, le bruit des vagues qui giflent les galets et se retirent en les faisant chanter. Le vent souffle, furieux, autour de la maison et c'est de toi qu'il me remplit. C'est entre les mots, dans le silence, que l'on va chercher l'essentiel que les mots, tels des petits frimeurs du dimanche, détruisent aussitôt.

Les mots sont vains, malhabiles et grossiers. Ils essaient de se hisser à la hauteur de notre cathédrale mais ne parviennent qu'à éructer des sons grinçants et creux, crachés par des gueules de gargouilles usées. Le silence et nos corps nus, l'un contre l'autre, voilà notre domaine, notre royaume enchanté où aucun ennemi ne peut pénétrer.

Chut... chut..., murmures-tu tout bas quand la violence de nos corps a renversé la digue du langage, passant au-dessus des mots, au-dessus de tout ce que pourraient dire les mots. Et je n'entends alors que le clapotis de ma peau contre la tienne, les gouttelettes de sueur qui roulent de ta peau à la mienne, ta langue qui vient lécher ces mille gouttelettes, remonte à mon oreille et répète sans se lasser chut... chut...

Chut... chut... quand tu te mets à genoux entre mes jambes et essuies mon corps perlant de cette eau qui coule, de cette soif qui jaillit entre ta peau et la mienne, cette soif jamais assouvie qui trouve mille sources nouvelles dans mille recoins cachés de nos corps étonnés.

Chut... chut... on quitte le bord de mer, les galets ronds gris et blancs, les éboulis de craie et de limon rouge, on dérive dans l'écume trouble des vagues, on se noie dans cette eau salée, on se lèche, on se respire, on redresse la tête pour reprendre notre souffle et repartir plus loin, plus loin dans l'inconnu marin de nos anciens corps recouverts d'écailles.

Le soir, on sort. On se fait beaux. On a faim de bistrots et de cidre normand. De petit vin blanc sous la tonnelle, je chante, la joue écrasée contre le drap de ta veste. Je passe les vitesses de ma main libre quand tu me fais signe du menton.

C'est le samedi soir. Les hommes et les femmes sortent, le samedi soir. Ils se montrent, ils s'embrassent la bouche en public, dévorent des escalopes à la crème et des soles grillées, se lancent des œillades par-dessus les tables pour vérifier qu'ils sont beaux, qu'elles sont belles et reviennent plonger encore plus fort dans le cœur de leur « je t'aime ». J'ai mis du noir sur mes cils, du rouge sur mes lèvres, du beige sur la peau, tu as enfilé ton plus beau polo. On va rire, manger et boire. S'envoyer des baisers par-dessus les moules fumantes. Mélanger le cidre et le vin blanc à en perdre les sens.

La salle du restaurant est pleine. Il reste une table pour deux, là dans le coin, dit la patronne. Tu tournes le dos à la salle. Je lui fais face. Deux filles, à côté de nous, parlent des hommes et des femmes. J'esquisse un petit sourire. Je sais ce qu'elles vont dire. Je me penche vers toi et chuchote :

— Ecoute...

Tu me prends la main sur la table et examines le menu, l'oreille tendue vers elles. Elles passent le week-end ensemble, tranquilles. Loin des hommes. Elles ont fait leurs courses, lu leurs livres près de la cheminée, pris leur bain moussant, comparé leurs crèmes de nuit, dit du mal des hommes, se sont coupé la frange et ont limé leurs ongles. Elles pouffent de joie complice et simple.

— On devrait vivre avec une femme et coucher avec les hommes, conclut l'une d'elles en s'écrasant le nez dans sa serviette.

J'enfouis mon visage dans l'abri cartonné du menu et je ris. Tu relèves la tête, furieux.

— Tu penses ça aussi ?

— Je pensais ça avant...

— C'est si bête ce genre de réflexion ! Tu me déçois. Tiens, j'ai plus faim !

Tu lances la carte sur la table et fermes ton visage. Absent, mauvais. Je me tais. Je ne veux pas entrer dans la ronde des mots amers. On commande en silence. Mon regard vagabonde dans la salle. Accroche le regard d'un homme. Il me sourit et plante ses yeux dans les miens. Je lui souris en retour. Il déchire un morceau de nappe en papier et gribouille quelque chose. J'attends, le cœur battant. Quand il a fini, il brandit le papier qui dit : vous êtes belle, merci. Je lui souris encore puis détourne la tête.

Des boulettes de mie de pain jonchent ton assiette.

Tu tritures ta fourchette et la reposes. La reprends et dessines des lignes comme des barreaux de prison sur la nappe blanche. J'ai encore le sourire envoyé à l'autre homme sur les lèvres et le pose sur toi. Pose ma main sur la tienne. La maintiens contre la mienne. Tu te détends et souris enfin.

— C'est moi qui suis bête...

— Ça, c'est vrai.

Deux bols de moules fumantes arrivent sur la table. On retrousse nos manches, on déplie une grande serviette blanche et on plonge nos doigts dans la crème brûlante. Le vin blanc coule dans nos verres. Tu veux m'apprendre à manger les moules. Tu me montres comment m'y prendre. Je n'ose pas te dire que j'en ai mangé avant toi et je t'écoute sans t'entendre. Je répète tes gestes et tu es satisfait. Et puis j'oublie et plonge mes doigts dans la crème chaude à la recherche du mollusque blanc et orange que je vais déchiqueter. Ton regard noir me reprend, mécontent. Je hausse les épaules.

— C'est meilleur comme ça, quand ça dégouline sur les doigts...

Tu ne ris pas. Je soupire arrête, arrête, s'il te plaît. Pourquoi veux-tu que tout soit parfait, tout le temps ? Laisse-toi aller...

— Je veux que tout soit parfait tout le temps. Toi et moi, on doit être au-dessus des autres, au-dessus des réflexions bêtes et des doigts pleins de crème...

— Je ne pourrai jamais être parfaite... Ce n'est pas drôle !

— Tu verras, avec moi, tu y arriveras.

L'homme dans la salle m'attend de son regard. Il me cherche, il me traque, il me goûte. Je le sens qui pèse sur moi à travers la salle. Il me caresse, m'alanguit, me déguste, amusé. Je me laisse aller dans ses yeux, m'y coule, m'y prélasse. Il a la bouche gourmande et les yeux plissés de rire. Il mange avec ses doigts, lui aussi, et agite ses mains dégoûtantes, impertinentes. Il a retroussé les manches de son pull marin et la crème glisse jusqu'à ses coudes qu'il lèche en me regardant. Je rougis et reviens à toi.

Tu as senti mon trouble et m'interroges, irrité :

— C'est pas bon ? Qu'est-ce que tu as ?

— Rien...

— Si. Tu es différente tout à coup. Tu as vu quelque chose ?

— Non, je t'assure. Tout va bien.

J'ai répondu trop vite et tu te retournes. Tu saisis le regard de l'homme fixé sur moi. Tu te lèves, furieux, et m'agrippes le bras. Tu lances un billet de deux cents francs sur la table et me traînes vers la sortie.

— On n'a pas fini, je proteste en essayant de me dégager.

Tu me tiens si fort que je ne peux te résister.

On sort sur le trottoir, tu me pousses jusqu'à la voiture, ouvres la portière, me jettes à l'intérieur, reviens t'assseoir au volant et démarres sans desserrer les dents. Tu roules à toute allure et prends les virages sans ralentir. On s'enfonce dans la campagne noire où des arbres menaçants se dressent et se courbent sous le vent en sifflant. Puis tu te gares, ouvres ma portière et me précipites dehors. Je roule sur la route et me relève.

La nuit me glace. Je croise les bras sur ma poitrine pour me protéger du froid. Je regarde les feux arrière de la voiture qui disparaissent au loin. Je m'assieds sur une borne et peste contre le vent, contre toi si violent. J'attends.

Je sais que tu vas revenir me chercher.

Cette nuit-là, je n'ai pas dormi avec toi.

Tu as dormi sur un canapé du salon.

Le lendemain, tu m'as apporté un plateau de petit déjeuner avec des croissants, un bol de café, un jus d'orange frais pressé et une rose rouge.

Je l'ai repoussé du pied.

Tu m'as regardée, désolé.

J'ai mis les draps par-dessus ma tête et je ne t'ai plus parlé.

J'ai entendu tes pas s'éloigner, une porte claquer.

J'ai sauté sur le téléphone et j'ai composé le numéro de mon petit frère. Viens me chercher, s'il te plaît. Viens me chercher. J'ai peur, il me fait si peur.

J'avais des sanglots dans la voix et il m'a dit : ne bouge pas, j'arrive.

Je lui ai donné les indications pour trouver la maison. Il a tout noté en me répétant, ne bouge pas, j'arrive.

J'ai remis les draps sur ma tête et j'ai attendu.

Quand tu es revenu, tu portais cent bouquets dans tes bras. Tu les as disposés partout dans la chambre. Il y avait des fleurs en pots et des brassées de toutes les couleurs. Tu as sorti tous les verres et tous les brocs de la maison et tu as dessiné un parcours de fleurs rouges, blanches, jaunes et bleues.

Et puis tu t'es assis au bord du lit, tu as baissé la tête et tu m'as demandé pardon, pardon je ne le ferai plus. C'est la première fois que j'aime aussi violemment et, parfois, je ne me maîtrise plus. Je ne sais pas ce qui m'arrive.

Je t'ai ouvert les bras, on a roulé dans le lit.

Ce sont les coups à la porte qui m'ont réveillée.

On a frappé longtemps avant que je ne revienne à moi, que j'ouvre les yeux et que je comprenne.

Je t'ai repoussé doucement et je t'ai dit, c'est mon frère, je l'ai appelé tout à l'heure, je voulais partir. J'avais si peur...

— Pourquoi ? Je ne te ferai jamais de mal, tu le sais bien.

202

J'ai enfilé un tee-shirt, un jean. Je ne voulais pas qu'il sache que je sortais du lit.

Je lui ai ouvert la porte. Il était là, grand et maladroit, avec son casque de moto sous le bras. Il m'a regardée pour vérifier que je n'étais pas abîmée. Son regard allait de mes jambes à mes bras, à ma bouche, à mon cou. Il cherchait des traces de coups. Je lui ai dit doucement :

— Ça va maintenant...

— Tu veux dire que j'ai fait tout ce chemin pour rien ?

— Non. Tu m'as prouvé que tu m'aimais et ça vaut les plus beaux cadeaux du monde...

— Pourquoi exiges-tu toujours des preuves d'amour ?

Il est rentré, a défait son blouson, posé son casque de moto sur la table, s'est ébouriffé les cheveux et m'a demandé si je n'avais pas une petite bière. Chez moi, j'en ai toujours dans le frigidaire. Pour lui. J'achète des packs de douze au Monoprix que je réserve pour sa seule consommation. Personne d'autre n'a le droit d'y toucher. Personne. Je suis allée dans la cuisine et j'ai trouvé une cannette posée sur l'étagère du frigo.

Il l'a ouverte, l'a bue en laissant une mousse blanche sur sa lèvre supérieure. Je le regardais, émue. Puis il a demandé :

— Je peux le voir, le tortionnaire ?

On a pris un café tous les trois.

Ils se sont à peine parlé, se sont échangé des renseignements de carte d'identité. Ont fait la conversation du bout des lèvres, chacun possédant une image de moi qu'il ne voulait pas partager avec l'autre. J'avais le sentiment d'être un enjeu. Je n'avais pas envie de faire semblant, de rire, de poser des questions. Le vent s'est levé et mon frère a dit je vais y aller.

Je l'ai raccompagné jusqu'à sa moto. Je lui ai tendu son casque, tendu ma joue pour qu'il l'embrasse.

— Je n'aime pas cet homme, il m'a dit.

Je l'ai embrassé dans le cou, j'ai murmuré :

— Tu n'aimes jamais les hommes avec lesquels je suis.

— Il n'a pas l'air naturel...

— Ça veut dire quoi ?

— Fais attention à toi...

Je l'ai regardé partir en agitant la main.

Je ne voulais pas lui faire du mal. C'était mon amour qui était trop fort. Mon amour qui, parfois, s'emballait et me faisait verser dans une violence incontrôlable.

Je voulais incarner le Destin, la remettre sur ses véritables traces, sur ses traces à elle pour qu'elle s'aime, enfin. Je détestais l'idée qu'elle ne se fasse pas confiance. Elle était une reine, ma reine. Mais elle était convaincue qu'elle ne valait rien. Ou des broutilles dont elle allumait un grand feu pour aveugler les autres.

Je ne voulais pas créer une femme nouvelle, je voulais qu'elle se retrouve. Qu'elle retrouve la petite fille qui voyait tout, qui n'était pas dupe, qui avait compris, trop tôt, comment la vie marchait. Toute cette violence précise, cette clairvoyance, cette audace incroyable qu'on lui avait enlevées comme on déshabille une poupée.

Et elle s'était rhabillée à la hâte avec un fatras de hardes et de faux-semblants. Pour se cacher. Pour oublier sa honte. Pour oublier qu'on l'avait blessée. Décapitée par l'indifférence brutale des autres.

Je voulais lui faire oublier ces hommes de passage qui ne l'avaient pas regardée ou mal, ces aventures au goût amer, ces rejets qu'elle camouflait sous un masque de petit soldat fier. Je la sentais parfois si fragile, si chancelante, sans point d'ancrage, jouant des rôles dans lesquels elle se perdait. Petite fille tremblante ou séductrice chevronnée, apprentie balbutiante ou chef de chantier galonnée. Je ne voulais pas la changer. Je voulais qu'elle se reconnaisse, qu'elle fasse la paix avec elle-même, qu'elle abandonne ses masques et ses peurs.

C'est cela que j'ai ressenti dès notre première rencontre : sa dérive éperdue, prête à se donner au premier venu pour qu'il lui parle d'elle, qu'il lui donne confiance en elle. En quête d'un regard qui la reconstruirait. J'étais ce regard. J'allais la reconstruire. J'étais assez fort pour deux.

205

C'est cela qui a fait naître en moi cette passion si violente qu'il m'arrivait de ne pas toujours maîtriser.

Je voulais qu'elle soit parfaite, comme un hommage qu'elle se rendrait, qu'elle nous rendrait.

On n'est pas retournés au restaurant.

On est allés faire des courses à la ville la plus proche afin de dîner dans la maison.

Tu voulais tout acheter et je riais de ton appétit d'ogre. Tu commandais du vin rouge, du blanc, du rosé et du champagne. Du saumon, du bar et des soles, des huîtres, des bulots, des bigorneaux, des crevettes roses et des bouquets. Du camembert, du reblochon, du livarot, des chèvres, du cantal, du chaource, du bleu d'Auvergne et des pâtes molles et lisses. Des endives, de la salade, des champignons, des tomates, des courgettes, des choux de Bruxelles, des carottes, des oignons, de l'ail, des herbes sauvages. De la baguette, du pain de campagne, du pain noir, du pain aux raisins, du pain aux noix...

— Mais on ne va jamais manger tout ça ! On repart demain !

— Au moins, on aura le choix ! Tu auras le choix : tu feras ton menu.

— Tu es fou, complètement fou !

La banquette arrière de la voiture déborde de victuailles et tu continues à remplir les paniers de pâtés, de confits en boîte, de brioches dorées, de crème fraîche, de poulets fermiers, de douzaines d'œufs. Je pense à ma mère : débit-crédit, débit-crédit. Elle aurait pesté contre ce gaspillage et t'aurait brûlé la nuque de ses yeux noirs.

Tu regardes ma montre et tu dis :

— C'est tout ce que tu as comme montre ?

— Oui, et elle me convient tout à fait. Je ne la quitte pas.

— Je vais t'en acheter une autre, une belle, une précieuse.

Je secoue la tête. Je n'en veux pas. Tu insistes, m'entraînes devant la devanture d'une bijouterie et me dit choisis, choisis la plus belle, je te l'offre. Je dis non, non, je ne veux pas, je n'en ai pas besoin.

— Je ne te parle pas de besoin mais de désir, d'envie...

— Alors je n'en ai pas envie. Je ne la mettrai pas.

— Même si elle vient de moi...

— S'il te plaît, n'insiste pas. Je ne la mettrai pas.

Et la peur jaillit en moi. Comme un geyser. Tu me fais peur. Tu es un ogre terrifiant avec des bottes de sept lieues et un grand couteau caché dans le dos. Tu me donnes envie de détaler. Je n'ai plus envie de manger, plus envie de boire, plus envie de regarder l'heure.

On descend la rue piétonne et mon regard tombe sur la devanture d'une pharmacie où s'étale une publicité pour des produits de beauté, une crème de jour qui hydrate, enrichit, ralentit le vieillissement de la peau, forme une barrière contre les agents oxydants.

J'ai besoin d'une crème, j'ai oublié la mienne mais je ne dis rien. Tu serais capable de m'acheter la pharmacie. Je ralentis quelques secondes, jette un regard oblique à la publicité et accélère le pas de peur que...

— On va prendre un café ?

J'acquiesce, soulagée.

— Installe-toi, j'arrive.

Tu me montres du doigt un bistrot et je m'installe à une table.

Enfin seule ! je me dis. Puis je me reprends. De quoi te plains-tu ? Des milliers de filles rêveraient d'être à ta place. Couverte de cadeaux, de bijoux, de montres, de poissons, de vins fins, de légumes, de salades. Arrête de tout analyser. Laisse-toi aller au plaisir de recevoir. Recevoir. Tu ne sais pas ce que c'est. Apprends. Apprends...

J'allume une cigarette, commande un café et un grand verre d'eau. Regarde les gens passer. C'est jour de marché. Les femmes portent des robes fleuries et les hommes des vestes en drap bleu marine. C'est mon passe-temps favori de regarder les gens déambuler, d'écouter leurs conversations de marché.

Un groupe s'arrête devant moi. Il me bouche la vue et j'enrage. Je me tords le cou pour continuer à surveiller le flux des passants. Je m'étire, je grogne, me dévisse la tête mais ils ne bougent pas. Ce sont des Parisiens plastronnants et bruyants. Deux hommes et une femme qui tient un panier où sont accrochées des mains d'enfants. Je compte les enfants des yeux : un, deux, trois... Trois petites têtes blondes qui s'agitent, se dispersent, que leur mère rattrape d'un geste las, mécanique.

— Et qu'est-ce qu'elle fait dans la vie, la belle blonde, à part tailler des pipes ? dit l'un des deux hommes, la cinquantaine, le polo Lacoste ouvert, le journal roulé dans la main.

— Pas grand-chose, répond l'autre en tirant sur son cigare. Elle doit être douée tout de même parce qu'il a divorcé pour l'épouser !

Ils éclatent de rire. L'un demande à l'autre ce qu'il pense du Davidoff n° 5 qu'il vient de lui offrir. Ils parlent entre eux, froncent les sourcils, sérieux, ou se congratulent, pendant que la femme se penche sur l'un des enfants, ramasse la tétine de l'autre, rattrape le troisième par sa salopette, relève la casquette du plus petit puis se redresse et s'enquiert doucement, sans aucune trace d'agressivité :

— C'est bizarre quand même... Je n'ai jamais entendu dire d'un homme « et qu'est-ce qu'il fait dans la vie à part sucer des femmes ? ». Pourquoi, d'après vous ?

L'homme éclate de rire et lui prend le bras.

— Fallait me dire que vous étiez féministe ! J'aurais surveillé mes propos ! Dis donc, tu ne m'avais pas dit que ta femme était suffragette !

— Je posais simplement une question, dit la femme en repoussant une mèche de cheveux blonds de sa main libre.

209

— Bon d'accord ! J'ai compris la leçon. Je retire ce que j'ai dit.

— Il se retire ! s'exclame l'autre en mâchouillant son numéro 5. Il se retire ! T'as entendu, chérie ? Décidément, notre conversation est très osée !

Et les fumeurs de cigares de s'esclaffer.

La femme est happée par un enfant qui crie « pipi, maman, pipi ». Je la vois disparaître à l'intérieur du café, tenant les deux autres par le col, rattrapant son panier prêt à se renverser, pendant que les hommes reprennent leur conversation de connaisseurs en vins fins et en cigares, les bras libres et croisés sur la poitrine.

Je soupire. Elle aimerait sûrement, elle, avoir un homme qui la couvre d'attentions et de cadeaux, qui porte les sacs et ne la laisse pas seule avec ses trois petits !

Quand tu reviens, je te raconte la scène, indignée, amusée. Tu m'écoutes à peine. Tu as les yeux qui brillent, l'air enchanté de celui qui vient de jouer un bon tour à quelqu'un. Tu commandes un café, tu te tortilles sur ta chaise, je te montre du doigt les deux hommes qui continuent à plastronner mais tu ne les vois pas.

— Qu'est-ce qu'il y a ? je te demande, étonnée.

— Quelle main ?

Tu as les mains cachées derrière ton dos. Je réponds la droite. Tu secoues la tête, malicieux. La gauche alors... Et tu brandis un paquet. Un grand sac en papier que tu me tends, victorieux, avec les mêmes yeux espiègles des enfants de tout à l'heure qui tournaient autour de leur mère et la harcelaient.

— Qu'est-ce que c'est ?

— Regarde. C'est pour toi !

Tu as l'air triomphant et heureux. Tu essaies de prendre un air détaché, de regarder ailleurs mais tu brûles de connaître ma réaction. J'ouvre le paquet et y trouve pêle-mêle toute la ligne de produits de beauté que j'ai lorgnés dans la vitrine de la pharmacie. Lait démaquillant, tonique, crème de jour, crème de nuit, crème contour des yeux, masque de beauté, ampoules coup d'éclat, ampoules raffermissantes. Je pose un baiser poli sur ta joue. Je te remercie du mieux que je peux, en luttant pour ignorer l'envie qu'il me vient de prendre mes jambes à mon cou et de déguerpir.

— Regarde encore ! Tu n'as pas tout vu !

Tu te frottes les mains, tu gigotes, tu trépignes devant ma lenteur. Tu as l'impatience des enfants qui défont leurs paquets de Noël en les éventrant. Je secoue le sac et entends un bruit. Plonge ma main et en retire un paquet. Un paquet de joaillier que je défais avec précaution. Dans l'écrin bleu nuit repose une montre en or, une large montre en or dont les aiguilles dorées et fines se détachent sur un fond gris.

— Tu es fou !

— Je suis fou d'amour pour toi !

Je regarde la belle montre tout en or qui brille dans ma main. Je te regarde, toi, qui brilles de fierté. Je

211

frissonne et réprime une envie violente de tout laisser, là, sur la table.

— Tu as froid ? Tu veux qu'on s'en aille ?

J'ai envie de partir, loin de toi, loin de toi qui ne m'écoutes pas, qui ne me vois pas, qui en aimes une autre, une qui réclame des bijoux et des montres, des crèmes et du champagne, des attentions de chaque minute, une autre qui n'est pas moi.

Ce n'est pas moi qu'il aime, je me suis dit, ce jour-là, ce n'est pas moi.

Sinon il m'entendrait...

Sinon il me verrait...

Cette nuit-là, tu ne m'as pas touchée. Mon corps s'y refusait. J'ai prétexté un mal de tête soudain, un vertige qui me privait de mes forces de femelle. J'ai pensé à ma grand-mère qui détestait tant l'acte de chair qu'il fallait la forcer. Je me suis allongée sur le lit, sans rien manger, les yeux fermés, refusant de voir ton corps se mouvoir dans la pièce.

J'ai attendu que tu te sois endormi, que tu reposes lourd à mes côtés et je me suis levée.

Je suis allée dans la cuisine. J'ai mis une bûche dans le poêle qui rougeoyait encore, diffusait une lumière tremblante, chaude, rassurante. J'ai pris une feuille de papier blanc, un bloc qui traînait dans le tiroir de la commode, et j'ai commencé à t'écrire une lettre.

Je voulais te donner toutes les cartes du jeu, toutes

les cartes de mon jeu, pour que tu gagnes cette bataille livrée entre nous. Entre nous trois : toi, moi et l'ennemi. Pour que tu ne tombes pas d'un coup comme tous les autres qui m'avaient chérie, dorlotée.

Les mots écrits, les mots muets allaient me sauver. Ce que je ne pouvais te dire, j'allais te l'écrire.

J'ai écrit. Sans réfléchir.

« Sujet : amour,

Je sais ton amour, je le constate, mais il me rebute. Je n'arrive pas à m'en emparer, à le faire mien, à me dire qu'il est à moi, pour moi.

J'aime l'amour à distance : quand on me le raconte, quand je le vois au cinéma, quand je le lis dans les livres, quand il chante dans des chansons mais je n'arrive pas à le faire mien, à l'exprimer, à le communiquer.

Je suis inapte à aimer. Et pourtant je meurs d'envie d'apprendre.

Je recule, toujours, effrayée par trop d'amour.

Tu vas trop vite.

Tu effaces l'espace, l'attente, l'incertitude qui crée un blanc, une suspension. Un trou blanc plein d'espoir ou un trou noir.

Un blanc mystérieux, incandescent, qui allume mille petits feux dans tout le corps, dans tout le cœur parce que soudain on est assailli par un mystère, une question insoutenable : et s'il ne m'aimait plus ? Le danger pointe son nez et remet tout en cause. On comprend qu'on tient plus que tout à l'autre, on est prêt à se jeter à la mer pour ne pas le perdre.

Des trous noirs, des trous blancs.

Alors le désir rapplique soudain, affolé, affriolé. Il s'engouffre dans la brèche ouverte et la remplit de sa brûlure exquise.

Le désir doit être tenu à bout de bras, mis en scène.

Que se passe-t-il au début de chaque histoire d'amour ? Pourquoi le désir est-il sur des charbons ardents ? Parce que l'autre est un inconnu, une plaine sauvage, une étendue vierge à explorer. Un grand espace. A trop se rapprocher dans l'amour quotidien, dans les baisers donnés et reçus à tout bout de champ, on abandonne la plaine du western pour le lotissement avec jardinet entre quatre piquets. On sait tout de l'autre, on sait ce qu'il va dire, où il va poser sa main ou sa bouche, on se résout à l'aimer sans plus jamais avoir peur de le perdre. Le cœur cesse de battre et se rétrécit. Le désir s'en va ailleurs. Vers n'importe qui, le premier qui paraît immense et mystérieux, que ce soit le fruit de la bêtise ou de la ruse.

Je dois reconstruire du désir autour de toi. De l'envie, de la légèreté. La terre est brûlée aujourd'hui. Tout est noir, lourd, si lourd parce que, malgré ce que tu en dis, ton amour me semble encombrant, asphyxiant. Je n'ai plus de place pour mon désir à moi, pour te rêver, t'imaginer, t'attendre.

D'où viennent nos différences ? De quelle histoire sommes-nous issus pour que notre manière d'aimer soit si différente ?

On n'arrive pas seul, neuf et vierge, dans une histoire d'amour, sinon on aimerait tous de la même manière. C'est ce que je dois comprendre. C'est ce que tu dois comprendre...

En attendant, apprenons à respecter le rythme et la cadence de l'autre.

En attendant de nous rapprocher, et de nous aimer pour de bon, un jour... »

J'ai lu et relu ma lettre. Le vent tournait autour de la maison et faisait claquer les volets mal attachés. Il s'engouffrait par la cheminée, soufflait de fortes bourrasques de froid glacé. Je me suis accroupie près du poêle et j'ai remis une bûche. En me relevant, j'ai aperçu le sac de la pharmacie et de la montre. Je l'ai pris, j'ai répandu les tubes et les pots sur la table. Les ai alignés sous mes yeux et, un par un, jetés à la poubelle.

Et la montre ? je me suis dit en retournant le sac dans tous les sens.

La montre ? Je l'avais oubliée sur la table du café.

Alors le vent furieux est tombé comme une nappe blanche et une cloche a sonné dans ma tête.

Je suis repartie dix ans en arrière.

Un homme, comme toi, un bracelet en or, comme la montre, que j'avais laissé sciemment sur la table d'un restaurant. Trop de cadeaux, trop d'amour, trop d'attentions. J'étouffais, je devenais aveugle, méchante, puérile, hostile. Je me débattais et sortais mes griffes. Je

215

ne voulais pas qu'il m'aime autant. Il se trompait, je n'en valais pas la peine.

C'était une autre, cette fille-là, ce n'était pas moi. Je secoue la tête.

Si, c'était toi, dit l'ennemi implacable au fond de moi. Souviens-toi.

Non, c'était « elle », une autre. Une que je n'aime pas. Idiote, frivole, égoïste, bête, et surtout si méchante.

Souviens-toi de l'autre... Souviens-toi. Et tu comprendras que l'amour n'est pas fait pour toi, que l'amour n'existe pas, que c'est une chimère qu'on se raconte pour bercer le creux de la vie.

Je me suis recroquevillée contre le poêle et j'ai rembobiné le temps.

Elle le trompait.

Elle ne savait pas pourquoi.

Elle le trompait tout le temps. Avec le premier venu qui la prenait sans parler, de manière brutale et fruste, telle une friandise qu'on pique dans les rayons des magasins et qu'on dévore en déchirant le papier à pleines dents.

Elle les suivait toujours ces hommes de hasard. Sans hésiter. Sans prendre la peine de se cacher. Sans chercher à ménager l'homme qui l'aimait, la vénérait. Elle le lui disait bien en face, les yeux dans les yeux, qu'elle partait pour un autre, un autre qui n'en valait sans doute pas la peine mais dont elle ne pouvait se passer. Un autre qui la traitait n'importe comment mais devant lequel elle se couchait, elle pleurait, elle ronronnait, elle attendait, elle désespérait. Un autre qui demandait encore plus de cheveux blonds, encore plus de beige sur la peau, encore plus de chair exposée aux regards des autres pour l'exhiber à son bras et faire baver les mâles. Qui ne se penchait pas sur elle pour parler à son âme mais coupait son corps en petits morceaux tels des trophées qu'il portait à son cou.

Ceux-là, elle les suivait toujours. Fière de ce mauvais bonheur. Heureuse, à l'aise.

Et elle abandonnait celui qui l'aimait, qui lui répétait qu'elle était grande et forte et belle. Unique.

Un jour, elle l'avait vu pleurer devant elle.

Elle venait de lui annoncer qu'elle partait en retrouver un autre. Il n'avait rien dit. Il ne disait jamais rien. Il restait toujours digne et triste. Elle avait claqué la porte de l'appartement qu'ils partageaient, s'était aperçue dans l'escalier qu'il lui manquait un pull, était remontée le chercher et l'avait surpris, recroquevillé dans un coin, tout petit dans la grande pièce blanche, les bras refermés sur ses genoux, la tête enfouie dans ses bras. Il sanglotait. Son corps était secoué de sanglots silencieux. Comme un enfant que les autres maltraitent dans la cour de récréation et qui souffre en cachette. Il avait mis des lunettes noires pour pleurer en paix. De larges lunettes noires pour cacher ce chagrin qui l'aveuglait, lui brûlait les yeux et le cœur.

Elle l'avait regardé, désolée.

Désolée mais impuissante à le consoler.

Elle ne ressentait rien. Rien qu'une vague gêne de voir un homme pleurer. Ça ne pleure pas un homme...

Ou alors ça pleure pour de vraies héroïnes, pour de nobles causes. Pas pour quelqu'un comme elle. Elle n'en valait pas la peine. S'il était intelligent et fort, il le saurait.

Elle ne s'était pas rapprochée, elle ne s'était pas penchée pour le prendre dans ses bras.

Elle était partie rejoindre le nouvel amant qui l'attendait en bas dans sa grosse voiture, pestant contre cette attente et regardant sa montre, caressant le cuir poli de son volant, augmentant le volume de la musique, grognant qu'est-ce que tu as foutu ? Il t'en a fallu du temps !, démarrant sur les chapeaux de roues.

Je suis un monstre, se disait-elle, un monstre. Pourquoi suis-je comme ça ? Pourquoi ? Il m'aime cet homme que je viens d'abandonner sans un mot derrière ses lunettes noires. Il m'aime, lui.

Elle revenait toujours vers cet homme-là parce qu'elle l'aimait plus que tout, mais elle ne le savait pas. Elle l'avait appris trop tard, quand il était parti...

Et il lui avait fallu des années et des années pour l'oublier, pour se séparer de lui, pour arracher ses mots d'amour de sa tête à elle, ses mots qui, petit à petit, lui avaient donné une colonne vertébrale. L'homme aux lunettes noires lui donnait toutes les audaces, tous les élans. Elle et lui avaient grandi ensemble, ils s'étaient servis de tuteur, d'agrandisseur.

Quand il était parti, il lui avait fallu tout réapprendre. Elle n'était plus sûre de rien. Elle ne pourrait plus écrire une ligne, elle ne pourrait pas payer un loyer, elle ne pourrait plus entrer dans une pièce remplie de gens qui la regarderaient, elle ne saurait plus quoi penser d'un film, d'un livre, d'un fait divers lu dans les journaux.

Elle était infirme. Muette. Empêtrée.

Il lui avait rendu pièce par pièce la monnaie de sa peine, de la peine qu'il avait endurée pendant ces longues années. Et chaque fois qu'elle pensait avoir enfin réussi à l'oublier, qu'elle se préparait à être heureuse, seule ou avec un autre, il revenait la prendre pour la faire souffrir encore. Insatiable de revanche. Insatiable de la voir se tordre de souffrance. Il ne prenait plus de précautions de langage, il disait simplement qu'il fallait « remettre les pendules à l'heure ». En regardant sa peine aussi froidement qu'elle, le jour où il avait ses lunettes noires et qu'elle était partie retrouver l'homme arrogant et sûr dans sa grosse voiture.

Elle ne protestait pas. Elle se disait que c'était juste, qu'il fallait qu'elle en passe par là, elle espérait seulement qu'un jour elle aurait remboursé sa dette et serait libre. Libre d'aimer et de savoir aimer. Il lui fallait attendre. Pour apprendre l'amour et l'accepter.

Essayer de comprendre, et attendre, attendre...

Et dix ans, après, je recommence.

La danse des poignards ne s'arrêtera donc jamais.

J'ai repris ma lettre sur la table, je l'ai jetée dans le poêle.

Je suis allée fouiller dans la poubelle, en ai retiré les tubes et les pots de crème. Je les ai essuyés avec un torchon. On aurait dit une criminelle qui effaçait ses empreintes. Je les ai remis dans le sac en papier, sur la table.

Je suis allée m'allonger près de toi.

Tu dormais. Beau et victorieux, maréchal de la nuit au front étoilé et porteur de défis. Je me suis glissée sous ton bras et j'ai repris ma place.

Et si la seule façon d'apprendre à recevoir, c'était de donner ? Donner sans réfléchir, sans penser ? Mimer l'amour jusqu'à ce qu'on le ressente dans son cœur, dans sa chair ?

— Tu sais donner ! hurle Christina. Tu es la meilleure amie que j'aie jamais eue ! Arrête de penser que tu ne sais pas aimer ! Tu donnes, tu donnes tellement que je me sens tout le temps ta débitrice !

— Avec mes amies, oui, j'ai appris... mais avec les hommes ? Pourquoi je n'y arrive pas, avec eux ? Comprendre sans jamais juger. Donner de l'amour sans mettre de conditions... Je t'aimerai si tu changes,

220

tu dois faire ce que je te dis ou sinon ça ne marchera pas... C'est ce qui s'est passé pendant ce séjour à la mer ! Non, je t'assure, il faut que je comprenne ce qui ne va pas !

— C'est peut-être lui qui ne va pas...

— C'est trop facile de dire ça ! Ce n'est jamais la faute d'un seul, tu le sais bien.

— N'empêche... ce n'est pas normal cette frénésie de cadeaux, cette frénésie d'amour, de possession. Ça cache quelque chose... Et puis tu l'as déjà prévenu quand il t'a écœurée de gâteaux ! Il devrait entendre.

— Il ne m'entend pas, il m'aime comme si ce n'était pas moi qui étais en face de lui mais une autre... Une autre qu'il veut combler, une qui n'en a jamais assez, qui réclame toujours plus !

Nous sommes toutes les deux assises devant le nouvel amour de sa vie. Il est beau, plein de vigueur, de sève nouvelle. Il s'appelle Simon. Pas très grand mais solide et large. Brillant, engageant. Il a très bonne réputation. Il paraît qu'il « emplit de paix celui qui donne comme celui qui reçoit ». C'est ce qu'on dit de lui.

— Et tu l'as trouvé où ?

— Sur les quais, en me promenant. Je l'ai repéré et je me suis dit pourquoi ne pas commencer avec lui ?

— Commencer quoi ?

— Commencer à aimer. Ça peut paraître idiot, superficiel ou scolaire. Mais il faut bien commencer un jour. J'ai tout à apprendre comme tu le sais ! Je suis partie du mauvais pied.

Quand Christina avait huit ans, sa mère s'est enfuie. En Suède. Du jour au lendemain. Les quatre enfants ont embrassé leur mère un matin en partant à l'école et sont rentrés, le soir, dans une maison vide. Elle avait non seulement abandonné son mari et ses enfants mais emporté tous ses meubles. Et le chien. Depuis, Christina est méfiante et ne s'abandonne qu'en toute extrémité et pour peu de temps. Elle a appris à vivre seule, sans rien attendre des autres, et transforme tout ce qui pourrait ressembler à de l'amour en amitié complice et pleine d'humour. L'humour la protège et écarte ceux qui se voudraient romantiques et pressants. Quand on lui dit « je t'aime », elle éclate de rire et regarde autour pour voir à qui ça s'adresse.

Elle mange les petites peaux de ses doigts et contemple Simon avec un mélange d'angoisse et de tendresse. Elle le caresse doucement, se penche sur lui, le respire.

— C'est du boulot ! je dis en riant.

— Ne ris pas ! Je dois tout apprendre.

— Apprendre quoi ?

— Que le véritable amour est désintéressé. Tu aimes l'autre pour ce qu'il est.

— Dans ce cas-là, tu es tout de suite renseignée !

— Le problème est qu'il est très difficile d'aimer quelqu'un de manière totalement gratuite. Tôt ou

222

tard il finit par dire ou faire quelque chose qui nous déçoit.

J'opine de la tête. Peut-être que, moi aussi, je devrais me chercher un Simon ?

— Je vais m'entraîner avec lui, m'en occuper au moins une fois par jour. Je vais lui parler, lui dire que je l'aime, que je le trouve beau, qu'il soit fatigué ou en pleine forme, et petit à petit, me sentir responsable de lui, solidaire. Je ne serai plus seule quand je rentrerai le soir. Il sera là.

— Il ne risque pas de s'en aller !

— Je m'en occuperai sans m'énerver, en lui consacrant du temps, en prenant tout mon temps. Petit à petit, je serai capable d'élargir mon attention et d'offrir ma tendresse à d'autres, peut-être.

Elle marque une pause et touche Simon du doigt.

— Avec lui, j'aurai le temps d'apprendre...

— Et il ne va pas te contrarier !

— On ne sait jamais... Tu sais, ça va être un effort pour moi. Je n'ai pas l'habitude de m'occuper de quelqu'un d'autre que moi. Moi, moi, moi, j'en ai marre... Et moi toute seule, je fais quoi ?

— Pas grand-chose, je concède. C'est notre problème à toutes.

— Ce qui m'inquiète le plus, c'est que je n'ai pas vraiment le doigt vert. D'habitude, il suffit que je regarde une plante pour qu'elle meure aussitôt.

— Ils t'ont donné un mode d'emploi quand ils te l'ont vendu ?

— Oui, heureusement.

— Et après le cyclamen, tu penses prendre un chien ?

— Non. Après, je passe directement à l'humain !

— Je ne sais pas si c'est très raisonnable...

— On verra bien. Je pense qu'avec Simon, je vais faire des progrès.

Je l'envie presque d'avoir trouvé un début de solution, même si je réprime une forte envie de rire devant ses attentions face à Simon. Je ne la juge pas. Je n'ai pas piétiné son cyclamen en lui criant que c'était ridicule, je ne lui ai pas lancé qu'elle était débile, je ne suis pas partie en claquant la porte, tout ce que j'aurais sûrement fait face à un amant qui aurait adopté une Simone pour s'entraîner à aimer.

— Et moi, comment je vais faire des progrès ?

— Je ne sais pas... Essaie de le comprendre, lui. D'où il vient, comment il a été élevé, comment étaient ses parents, ses traumatismes d'enfant, ce qui compte pour lui dans la vie...

— Il ne me parle jamais de lui. Jamais.

— Parce que tu n'as pas vraiment essayé.

— Oh si, j'ai essayé ! Et ça s'est très mal passé !

— Les gens adorent qu'on leur parle d'eux. Ils n'aiment que ça.

— Pas lui !

— Recommence. Plus habilement peut-être. Essaie de savoir qui il a aimé avant toi, pose-lui des questions, il répondra.

Je secoue la tête.

— On dirait qu'il se fuit, qu'il ne s'aime pas, qu'il déteste sa vie avant moi. Il s'est inventé un rôle pour oublier et il semble que je sois la partenaire idéale. Une grande page blanche où il peut recommencer de zéro.

— Oublier quoi ?

— Je ne sais pas.

— Une fille ?

Je ne sais pas. Je sens que quelque chose ne va pas mais je n'arrive pas à mettre un nom sur mon malaise. Je connais son regard affolé, traqué, son besoin de se jeter sur moi, de me dévorer, de me sculpter comme de la glaise mouillée pour que je devienne sa créature et qu'il m'élève au pinacle de son admiration. Pour que je vive à sa place, que je prenne toute sa place. Il se fond en moi pour oublier sa vie à lui.

— Parfois j'ai l'impression de ne pas exister... Ce n'est pas à moi qu'il s'adresse.

Il y a dans son corps, dans ses yeux qui s'enflamment, dans ses narines qui frémissent, dans sa voix qui devient dure, tranchante, une angoisse insupportable, une angoisse de bête traquée, blessée, que la vie insupporte et qui veut s'en échapper par tous les moyens. Il se cabre, se rebiffe, devient fébrile, impatient, irritable. Je peux sentir l'angoisse immobiliser son corps, le tordre, l'étouffer et c'est alors qu'il s'empare de moi comme d'un poupon... comme d'un poumon... pour respirer. Je suis son oxygène, son issue de secours et son corps ne

225

peut se détendre, reprendre souffle qu'en se jetant sur moi, qu'en m'accaparant.

Le problème, alors, c'est de savoir pourquoi on s'aime, où son histoire et la mienne se rejoignent pour qu'on se soit embrasés si violemment. Cette soif de l'un pour l'autre, cette soif charnelle, terrible, a une origine et je dois la découvrir si je veux que notre amour dure, grandisse, s'épanouisse et ne soit pas qu'une suite d'affrontements que seuls nos corps apaisent.

— Déguise-toi en détective et mène une enquête. Rencontre ses parents, ses amis...

— On se connaît depuis si peu de temps. On ne voit personne. Il supporte mal qu'il y ait quelqu'un entre nous. Quand il a rencontré mon frère, il a fait des efforts mais j'ai eu le sentiment qu'il ne supportait pas mon amour pour lui. Je dois n'appartenir qu'à lui. J'ai peur, tu sais, j'ai peur et, pour une fois, j'essaie de comprendre, de ne pas répéter mes vieux schémas de fuite. J'ai même l'impression que mon vieil ennemi, celui qui arrêtait net tous mes élans, s'essouffle et ne comprend pas.

— Ou alors il laisse faire en se disant que, pour une fois, il n'a pas besoin d'intervenir, que cet homme va se détruire tout seul...

Je regarde Simon et je me dis qu'elle est loin du compte avec sa plante. Je souris à cette idée, je compare l'homme statue et farouche au cyclamen tranquille et muet.

Je ne veux pas renoncer.

J'étais si seule avant de le rencontrer. Avec lui, j'ai plongé dans une intimité dont je ne peux plus me passer.

— Et si l'intime et l'intimité n'étaient pas la même chose ? a suggéré Valérie l'autre jour devant un café.

— ...

— Et si tu apprenais à te faire confiance au lieu de prendre tous les torts à ton compte ? Tu es à l'aise apparemment dans l'intimité mais c'est peut-être ton moi intime que tu dois reconnaître maintenant. Ton moi intime que tu dois faire respecter. Arrête de toujours dire que c'est de ta faute... Réfléchis, réfléchis. Tu n'es peut-être pas la seule criminelle. Pas la seule à fuir un fantôme, un ennemi que tu charges de toutes tes défaites...

J'ai faim de lui. Faim de ce regard sur moi qui m'emmène toujours plus haut, toujours plus fort. Qui me déguise en souveraine, me donne les pleins pouvoirs.

Il me dit d'écrire et j'écris.

Il me dit c'est bien, continue et je continue.

Il me dit coupe tes cheveux et je les coupe. C'est trop court ! Je les laisse pousser.

Il m'interdit de me maquiller et j'abandonne les rouges et les rosés, les beiges et les marron irisé. Un jour, dit-il, je te ferai tatouer ou percer, je ne sais pas encore.

Je lui livre mon corps.

Il me dit, tous les deux on ira jusqu'au sommet du monde, et je respire l'air des montagnes enneigées.

Il me dit toi et moi entre Dieu et Diable, et je reçois les coups et les baisers, je tends ma bouche et mon corps, je remets mon sort entre ses mains.

Je ne peux plus vivre sans lui.

Au début de notre histoire, quand on se parlait au téléphone — tu m'appelais dix fois par jour pour me parler de la pluie, du soleil, des journaux lus au petit déjeuner, des détails de ton travail, des nouveaux détails de ton amour —, je t'avais dit que tu changeais souvent de voix.

Tu avais plusieurs voix. Une autoritaire, abrupte quand tu étais à ton bureau, habitué à ordonner, à décider, à ce que tout aille très vite, une voix douce et sensuelle quand tu m'appelais allongé sur ton lit, le soir, et enfin une voix précipitée, heurtée, presque inaudible quand un événement t'avait ému, blessé ou agacé. Je te faisais répéter, car ton débit escamotait un mot sur deux, dérobait le sens des phrases. Ou j'essayais de deviner le sens général de tes propos si tu persistais à ne point articuler ni ralentir. J'avais l'impression que tu galopais devant un ennemi lancé à tes trousses ou que tu étais tenu en otage, le canon d'une arme sur la tempe. Il nous arrivait même de nous disputer à cause de ta voix numéro un ou de ta voix numéro trois. La première trop sèche et impersonnelle, la dernière si fiévreuse que je me sentais mal à l'aise. Tu me répondais alors, excédé, que j'exagérais et n'avais qu'à faire un effort. Ou tu prétendais que j'étais sourde et devais me soigner.

Je connaissais tes trois voix et je pouvais savoir à chaque fois que tu me parlais si tu allais bien, très bien ou si tu étais contrarié.

Ce soir-là, au téléphone, tu avais ta voix bousculée, hachée.

— Ça ne va pas ? t'ai-je demandé doucement comme si je parlais à un enfant en proie à une forte émotion et qui se met à bégayer.

— Si... Si... Tout va bien.

— Tu as ta voix cassée... Il se passe quelque chose ?

— Non, non, rien de spécial. C'est juste que...

Tu hésites, tu as dans la bouche un goût de catastrophe.

— C'est idiot mais... Je viens de me rappeler... Demain, c'est... J'avais complètement oublié... C'est la fête des mères et je dîne chez mes parents.

La fête des mères ! Il faut que j'appelle la mienne. Elle tient beaucoup à ce qu'on lui souhaite la fête des mères, sa fête, son anniversaire, qu'on lui envoie des vœux pour Noël et la nouvelle année. Elle est très pointilleuse sur les dates à célébrer et entoure sur son calendrier les fêtes des uns, les anniversaires des autres. Même quand elle est fâchée, qu'on ne se parle pas, elle n'oublie jamais de m'envoyer un petit bout de papier, le plus souvent le dos d'une enveloppe ou le bas d'une feuille déjà utilisées, sur lequel elle écrit en lettres droites et impeccables, l'écriture d'une institutrice au tableau : « Je te souhaite un bon anniversaire. Maman. » Ce respect des choses qui se font, qui doivent se faire, ce sens du devoir appris et rabâché, surplis posé sur une tenue débraillée, me fait souvent sourire. Elle n'en pense pas un mot mais elle se soumet à la tradition parce que c'est son devoir de mère ; elle n'y déroge jamais. Grâce à ces menus rituels, elle garde la conscience tranquille et ne se reproche jamais rien.

— On ne se voit pas, alors ?

Mon ton est enjoué, léger pour effacer l'angoisse que je sens dans ta voix.

— Non... ou si, après le dîner.

— Comme tu veux. On s'appelle après, quand les festivités seront terminées ?

Tu dis oui d'un ton lugubre et tu raccroches.

Puisque c'est la fête des mères, on va faire la fête !

Je vais inviter ma mère au restaurant.

J'appelle mon frère pour qu'il se joigne à nous.

— Je n'y tiens pas vraiment... Je l'appellerai le matin pour lui souhaiter bonne fête mais je vous laisse en tête à tête. Tu ne m'en veux pas ?

— Ce serait mieux si tu venais... On parlerait

d'autre chose... Sinon je vais encore me taper le mur des lamentations !

— Non merci ! Moi, j'ai passé sept ans à Madagascar, ce qu'aucun de vous n'a fait... J'ai de l'avance et vous des dîners à rattraper !

— Ils ont déjà envoyé leurs cartes, les deux autres ?

— Sûrement. Ils sont parfaits, eux !

Mon frère et ma sœur aînés. Parfaits dans leur duplicité. Cartes en avance, pour être sûrs d'être au rendez-vous des bons sentiments, et bouquets de fleurs le lendemain. Comme chaque année. Qu'ils soient au pôle Nord ou à Djakarta, ils n'oublient pas. Et pour Noël, des vœux en photos couleurs. Ma sœur aînée avec son mari et ses enfants en rang d'oignons, mon frère aîné triomphant derrière ses ordinateurs et son bureau d'homme qui a réussi et qui court le monde. Gros Job épanoui et méprisant. Ils ont réussi, eux, trompette ma mère à l'adresse de mon frère et moi, ils sont partis à l'étranger ! Alors que vous vous entêtez à rester dans un pays fini, un pays sans avenir avec des communistes au pouvoir, des grévistes dans les rues et des chômeurs qui veulent être salariés ! Ah ! Si j'avais épousé un Américain, je ne serais pas là pour voir ça !

Le film de sa vie, de toutes les déceptions de sa vie, se recale en arrière et défile. Interdiction de se lever ou d'interrompre la séance sinon elle nous punit d'un regard noir meurtrier et de son refrain préféré vous ne m'aimez pas, vous ne faites rien pour me plaire, qu'est-ce que j'ai fait à la vie pour mériter ça ?

Elle refuse de sortir, n'a pas envie de s'habiller, de se coiffer et elle veut regarder Derrick à la télé. J'insiste. Je l'emmène « chez Gérard », un petit bistrot dont le propriétaire est un copain, un vieux copain, je lui dis, tu n'as pas besoin de te faire belle, et en plus je viens te chercher et je te raccompagne à ta porte. Aucun risque de te faire agresser. Parce qu'elle a peur, peur de tout. Au moindre individu basané qu'elle croise, elle serre son sac sous son bras et file en maugréant contre l'insécurité rampante et le gouvernement qui ouvre grand ses portes à tous ces gens qui ne nous veulent pas de bien, ça c'est sûr. Tu n'as qu'à voir les banlieues ! Des Noirs et des Arabes partout ! Pire qu'à New York !

Ça, je n'en suis pas certaine. Mais je ne réponds pas et insiste, insiste. Soudain, il me paraît vital de passer la soirée de la fête des mères avec elle. Tu es ma maman, après tout, je lui décroche en argument final. Tu ne vas pas fêter ce soir-là face à Derrick quand ta fille te propose de t'emmener au restaurant !

Elle finit par soupirer si tu y tiens tellement...

Gérard nous a réservé sa plus belle table et lui conseille le menu dégustation afin qu'elle goûte à toutes ses spécialités. Elle le regarde comme s'il cherchait à l'arnaquer puis, devant son regard bienveillant, s'incline, réticente.

— On peut faire comme aux Etats-Unis et emporter ce qu'on n'a pas mangé ? Ils appellent ça des *doggy bags*.

Elle sait que ce n'est pas la coutume en France, mais elle pose la question pour me montrer qu'on ne sait pas vivre ici, et que c'est tout de même normal qu'on emporte ce qu'on a payé.

— Non, maman. Ici, on laisse tout sur la table. Tu le sais très bien, d'ailleurs.

Mon ton ferme et posé l'irrite. Tout chez moi l'irrite. Ses yeux tombent sur la montre en or et elle s'enquiert, c'est nouveau ? Oui, c'est un cadeau. Tu en as de la chance !

J'ai surtout eu de la chance de tomber sur un cafetier honnête qui l'a mise de côté.

Elle se tait, noue ses doigts en soupirant puis hausse les épaules et enchaîne comme si c'était absolument naturel :

— De toute façon, vous ne m'aimez pas ! J'ai des enfants qui ne m'aiment pas !

Gérard dépose devant nous deux coupes de champagne et elle le remercie, soudain radieuse, presque coquette :

— C'est très gentil à vous !

— C'est un honneur pour moi ! enchaîne-t-il,

233

galant. C'est la première fois que je vous reçois et j'aime beaucoup votre fille !

Il s'éloigne et elle trempe ses lèvres dans sa coupe.

— C'est offert par la maison, tu crois ?

— Maman, c'est ta fête, ce soir, ne t'occupe pas de ça !

— Je ne veux pas que tu dépenses ton argent inconsidérément ! Les temps sont durs...

— Pas ce soir ! Profite, ce soir, laisse-toi aller !

Devant l'immensité de cette soirée qui s'annonce pénible et laborieuse, j'ai une idée. Une idée lumineuse. Une idée d'écrivain à sa table de travail, une brusque inspiration qui me soulève et m'entraîne vers elle, généreuse.

— Maman, tu sais ce que je vais faire ce soir ?

Elle me regarde, méfiante, et ne dit mot.

— Je vais te raconter ta vie comme si tu étais l'héroïne d'un roman...

A ces mots, elle se redresse et m'écoute. Elle me contemple, interloquée, et ses yeux brillent comme ceux d'une enfant. Elle monte sur scène, seule, et tout le monde la regarde.

Sa fille, d'un coup de baguette magique, va la transformer en Scarlett O'Hara. Ses hardes de femme âpre et dure tombent en lambeaux autour de la table. Elle noue ses cheveux en deux bandeaux noirs, se pince les joues pour les rosir et tamise le noir de ses prunelles. Elle dispose ses crinolines et ses jupons, prend une pause de fille du Sud alanguie et sensuelle. Elle redevient belle. Comme avant...

— Alors voilà... Il était une fois une jeune fille très belle, très douée, d'une excellente famille, qui avait tous les garçons à ses pieds et ne savait lequel élire...

— Ça, c'est vrai, ce n'est pas une histoire inventée...

— Cette jeune fille venait d'avoir dix-huit ans et son père avait décidé qu'elle devait quitter la maison, se marier et partir vivre ailleurs. Il fallait donc qu'elle se marie. Se marier ! Avec qui ? Elle ne savait pas qui épouser, elle était flattée par la passion qui semblait animer tous ces étudiants qui se battaient pour l'entourer mais ne savait lequel choisir. Et puis, ils étaient tous encore à l'université, ils n'avaient pas de métier. Or, il lui fallait un homme avec de l'argent, un salaire en fin de mois pour ne plus dépendre de son père. Elle aurait pu être en colère contre ce père, lui reprocher de la mettre à la porte, de la jeter dehors mais elle ne protesta pas...

— J'ai toujours obéi à mon père, je ne l'ai jamais jugé, moi ! Il avait sûrement ses raisons pour décider ça !

— Alors elle se maria avec un jeune homme qui avait du bagout, du charme et une fortune qu'il disait colossale. Elle n'était pas très sûre de l'aimer mais, comme lui disait sa mère, l'amour et le mariage font rarement bon ménage. Elle se maria donc...

— La pire erreur de ma vie ! siffle-t-elle en finis-

235

sant sa coupe de champagne que Gérard vient remplir à nouveau.

Elle le salue bien bas et lui sourit, émue.

— ... son prétendant n'était pas un mari. Charmant, charmeur mais instable, dépensier, joueur, ensorceleur, infidèle parfois. Elle comprit très vite qu'elle avait fait une erreur, une terrible erreur ! Que faire ? C'était trop tard. Elle était mariée et bientôt son ventre s'arrondit. Un, puis deux, puis trois, puis quatre enfants s'accrochaient à ses basques et lui bouchaient l'avenir. Comment travailler ou reprendre des études avec quatre bouches à nourrir à la maison ? Elle était seule pour les élever et il lui fallait se faire une raison : il n'y avait pas d'autre solution que de rester stoïque au poste ! Car notre héroïne avait le devoir vissé au corps. Le devoir, c'est tout ce qu'elle avait appris dans son enfance. Le devoir que sa mère et avant elle sa grand-mère, son arrière-grand-mère avaient illustré de la manière la plus parfaite. On serre les dents, on bande ses forces et on tient le coup ! La vie n'est pas une partie de plaisir. On oublie ses élans de jeune fille, ses désirs de devenir une autre, d'avoir une autre vie, une vie qui vous ressemble...

— Mille fois j'ai voulu partir, mille fois... Je ne l'ai pas fait à cause de vous. Qu'est-ce que j'aurais fait de vous ? J'étais si malheureuse. J'ai voulu me suicider deux fois ! Tu le savais, ça ?

— En plus, j'enchaîne, constatant qu'elle entre dans mon roman, dans son roman, qu'elle ne m'interrompt pas, en plus il y avait un autre malheur que notre héroïne devait endurer. Un malheur plus secret, plus diffus, un malheur impossible à confier même à sa meilleure amie... Un secret infâme qu'elle devait garder dans son cœur et qui lui faisait honte parfois...

Elle me regarde, intriguée, avide.

— Tous ses enfants avaient une tare, une tare terrible : ils ressemblaient à leur père, à cet homme qu'elle détestait jusqu'à le haïr, jusqu'à souhaiter sa mort dans le secret de ses rêves, la nuit ! Ils étaient le portrait craché de leur père et, chaque fois qu'elle se baissait pour les serrer dans ses bras, elle s'arrêtait net, reconnaissant le sourire, les cheveux, l'intonation, le charme noir de cet homme qui lui répugnait tant... Elle était cernée. Il lui arrivait de s'asseoir le soir et de pleurer sur sa vie finie si tôt.

— Tu as raison, à vingt-six ans, je n'avais déjà plus d'avenir... Quand j'y pense ! Moi qui voulais faire tant de choses ! J'avais tellement d'ambition ! Tellement de rêves ! Je me sentais la force de tout faire... mais j'en étais empêchée !

— Elle en voulait au monde entier, à ses amies qui avaient l'air heureuses, à celles qui travaillaient, à celles qui avaient un bon mari, à celles qui avaient de l'argent. Elle était rongée par le désespoir et l'absurde de sa vie. Sans argent, sans métier, sans parents tutélaires pour la recueillir ou l'aider. Il n'y avait pas d'issue. Cette pensée la rendait folle, violente même, et sa colère retombait sur ses proches qu'elle se mettait à dénigrer, sur ses quatre enfants qu'elle regardait comme autant de boulets qu'il lui faudrait tirer jusqu'à ce qu'ils soient grands, indépendants. Malgré la violence de son désarroi, elle ne pensa jamais à les abandonner. Elle remplirait son devoir, les dents serrées, quitte à se sacrifier. Elle se devait d'être une bonne mère. Et elle fit tout ce qu'il fallait pour cela. Elle accepta un poste d'institutrice, elle accepta les horaires ingrats, les trajets en métro, les collègues à qui elle n'avait rien à dire, les cantines, les études à surveiller pour gagner quelques sous de plus, elle accepta tout... et ses meilleures années défilaient sans qu'elle n'ait aucun répit. Il lui fallait toujours travailler plus dur, s'échiner, s'acharner.

— Ma chérie, me dit-elle, les yeux pleins de larmes. Comment as-tu deviné tout ça ?

— A force d'écrire, d'inventer des histoires, de me faufiler dans la peau des autres..., je réponds sans comprendre encore que sa soudaine émotion va m'apporter une révélation terrible, que ce petit jeu que je jouais innocemment pour alléger l'atmosphère entre nous va se retourner contre moi et de la manière la plus brutale.

J'attends, j'attends la conclusion qu'elle-même va donner à mon récit. Je connais ma mère, je sais qu'elle est dure, qu'elle ne triche pas avec ses sentiments parce que les sentiments ne pèsent pas lourd pour elle. Les apparences, l'argent, le qu'en-dira-t-on, la possession de biens matériels, une bonne situation, ça, c'est sérieux, elle y met tout son cœur, mais les sentiments... Balivernes !

Je me raidis, me prépare à encaisser le coup. Je ne sais pas encore si elle va me le délivrer avec douceur ou dans toute sa brutalité, si elle va l'alourdir de nouvelles révélations plus terribles encore. Je ne sais pas mais tout mon corps se prépare à amortir le choc.

— C'est exactement ça... Je ne vous ai jamais aimés. Jamais. Vous lui ressembliez trop...Tout ce que j'ai fait pour vous, c'était par devoir. Vous n'avez manqué de rien ! Et j'en suis fière ! Mais mon rêve... Mon rêve aurait été d'avoir un enfant d'un homme que j'aime. Celui-là, je l'aurais aimé... J'en ai rêvé, tu sais, j'en ai rêvé. De cet homme et de cet enfant... Mais la vie n'a pas voulu me les donner.

Ses épaules s'affaissent, tout son corps s'affaisse au souvenir de ce rêve qui passe. Son regard s'attendrit, sa bouche sourit à cet enfant chéri. Elle pourrait me le décrire mais elle se retient. On n'est pas du même monde, lui et moi. Elle est ailleurs. Avec lui. Elle ne me regarde plus, elle songe à cet espoir longtemps caressé, qui ne s'est jamais réalisé.

Je le savais. Je le savais puisque je l'ai poussée à me le dire mais je n'y croyais pas. Je racontais le pire pour qu'elle me contredise, proteste, m'assure qu'elle nous aimait mais qu'elle ne savait pas l'avouer, pas le montrer, mais qu'on était des enfants formidables, que j'étais une fille formidable, qu'elle était fière de moi, qu'elle croyait en moi...

— Je suis contente que tu m'aies dit tout ça, que tu aies compris mon drame, mon calvaire...

Et elle me tend les mains, heureuse et légère, par-dessus la table, elle m'abandonne ses mains en une douce alliance. Souriante, apaisée. Je l'ai délivrée d'un grand poids. Je ne suis plus sa fille, je suis son amie, sa meilleure amie puisque j'ai su lire en elle, extraire la boue noire de son cœur sans la lui jeter à la gueule.

Je lui prends les mains et les serre très fort.

Ce soir-là, je lui ai dit au revoir.

J'ai dit au revoir à la maman que j'avais tellement attendue, tellement imaginée, tellement voulue que je la poursuivais pour lui arracher un regard, une attention, un mot d'amour. Un seul mot d'amour d'elle m'aurait donné des ailes, m'aurait fait gagner des milliers d'années, aurait évité des milliers d'erreurs, des milliers de meurtres. Je le savais. Aussi fort que le soleil chauffe la peau, que le feu brûle et que l'eau désaltère. Je l'exigeais avec de plus en plus de force et de violence. Une question de vie ou de mort. C'était ma peau que je voulais sauver quand je la harcelais pour qu'elle me regarde.

J'ai dit aussi au revoir à toutes les mères, à tous ces regards que je volais pour remplacer le sien...

J'ai effacé ces yeux qui ne m'avaient jamais regardée. J'ai effacé tous ces regards que j'avais quémandés, la rage au ventre, furieuse d'être obligée de chercher ailleurs ce qu'elle me refusait, avec l'envie de les tuer tous puisqu'ils n'étaient pas les siens, pas *son* regard sur moi. C'est son regard, ses yeux que je voulais. Pas ceux des autres. Le premier regard, celui que la mère pose sur son enfant, et qui lui donne la force de vivre, la force d'aimer, d'aimer les autres et de s'aimer soi-même.

Et tous ces autres qui m'avaient regardée avec amour, je les estourbissais puisqu'ils n'étaient pas elle.

Pas elle. Ma mère que j'aimais plus que tout au monde.

J'ai compris, ce soir-là.

J'ai tout compris. Ma rage assassine, mon envie de tuer les gens qui m'approchaient et qui voulaient m'aimer. Je ne voulais pas qu'ils m'aiment, je voulais que TOI, tu m'aimes. TOI, TOI, TOI, ma mère. Toi qui ne pouvais pas m'aimer, qui en étais empêchée.

Ce soir-là, en un éclair, je me suis retrouvée seule, face à moi.

Mes yeux à moi qui se tournaient vers l'intérieur découvraient cette vérité terrible, me disaient : voilà, maintenant tu sais tout, tu as compris. Tu es allée jusqu'au bout de votre histoire, tu as découvert le secret infâme qui libère.

Tu es libre...

Libre.

Elle t'a fait un cadeau inouï, un cadeau que font peu de mères : elle t'a rendu ta liberté. Combien de mères auraient protesté, auraient dit « non ma chérie,

ce n'est pas vrai, je vous ai tant aimés, tant aimés »
pour se donner une belle image de mère aimante. Elle
n'a pas triché. Elle a eu le courage effronté, insouciant, de te dire la vérité, de te livrer le fond de son
âme. Remercie-la. Tu n'auras plus jamais peur désormais. Tu vas pouvoir grandir à ton compte !

Remercie-la et chéris-la pour ce terrible cadeau
qu'elle t'a fait.

Quand j'ai levé ma coupe de champagne, parce
qu'elle était si émue, si légère tout à coup qu'elle voulait qu'on trinque, qu'on boive, qu'on s'étourdisse,
c'est à ma santé à moi que j'ai bu.

Le lendemain, elle avait tout oublié.

Elle m'a téléphoné.

Pour me remercier ? Pour entamer un nouveau dialogue qui ne serait plus celui d'une mère aveugle avec
sa fille enragée mais celui d'une femme avec une
autre, à égalité ?

Non.

Elle m'a demandé :

— Tu n'as pas payé hier soir ?

— Gérard a tenu à nous inviter.

— Pourquoi ? Tu couches avec lui ?

Débit-crédit, débit-crédit.

Je n'ai pas été en colère. Mon regard nouveau s'est
tourné vers elle comme un projecteur et je l'ai vue
comme je ne l'avais jamais vue avant : petite fille pas

242

regardée, pas aimée qui avait dû s'incliner devant la puissance de l'argent, des économies, de la Bourse. Devant le poste à galène et les hommes à bretelles qui brassent des dollars et des francs.

Débit-crédit, débit-crédit. C'est tout ce qu'elle avait appris.

Elle répétait, enfant docile et bien élevée. Elle suivait le destin qu'on lui avait préparé. Elle répétait. Elle se soumettait. Comme sa mère, sa grand-mère et toutes les femmes avant elles. Et rien, aucun sentiment, aucun élan, n'aurait pu la dérouter.

Je n'ai rien dit.

Je lui ai dit au revoir.

Je ne me lasserai jamais de te dire au revoir.

Puisque j'étais libre, maintenant, je pouvais t'aimer, toi l'homme-statue qui m'aimais tant...

Ma liberté commençait avec toi.

Tu étais le premier homme qui allait goûter avec moi à cette vie nouvelle d'offrandes et de gourmandises échangées, sans regard meurtrier.

J'avais hâte de t'annoncer la bonne nouvelle, de vérifier que je ne m'étais pas trompée. Je voulais que tu me dises « je t'aime », que tu te roules à mes pieds, m'offres la mappemonde et tous les Pygmées et que je m'enroule dans tes bras en réclamant encore, encore des mots d'amour, des trophées et des sagaies.

243

Et des bébés, des milliers de bébés pour recevoir tout l'amour que j'avais envie de donner.

Je me regardais dans la glace et je m'envoyais des baisers.

J'empoignais les mots et j'écrivais.

C'est cette nuit-là, après le restaurant, que j'ai commencé ce livre, que j'ai mis en mots tout ce que j'avais dans la tête et qu'il était urgent que j'écrive...

« J'écris ce livre pour un homme... »

J'ai commencé comme pour faire le point. Un début que je jetterais sûrement quand j'aurais trouvé ma musique, mon rythme.

« Un homme que j'aime et que, pourtant, j'ai tenté de fuir, et peut-être de perdre, comme j'en ai fui et perdu tant d'autres avant lui. Malgré moi. Contre ma volonté. Ceci doit être clair. Je ne désire pas cet abandon soudain et brutal. Un homme que je voudrais aimer des pieds à la tête mais qu'un sort inique et maléfique écarte de moi.

J'écris ce livre après avoir écouté la même histoire, mon histoire, de la bouche de filles comme moi, de filles différentes de moi, d'hommes perdus, de femmes jeunes, pas jeunes, esseulées, baleines hébétées aux cheveux blancs, échouées sur les rives de la solitude sans savoir pourquoi.

J'écris ce livre pour essayer de comprendre avant qu'il ne soit trop tard, pour enrayer l'infernale ritournelle qui se répète après tant d'années. Aujourd'hui, je commence à y voir clair mais comprendre, est-ce

suffisant pour détourner une malédiction ? Pour arrêter une répétition dont le mécanisme est remonté
depuis des siècles et des siècles ? On le dit. Je voudrais
le croire... »

Les premières esquisses de ce livre sortaient comme
autant de mots crachés en flammes victorieuses.

Elle m'avait rendue libre d'écrire à nouveau.

Elle ne lisait jamais mes livres. Jamais.

La dame blonde et lisse m'avait donné le goût des
mots. Elle m'avait encouragée, guidée jusqu'à mon
premier livre. Elle m'avait dit de les toucher, de les
caresser, de les prendre dans ma main, de les faire
miens, ces mots écrits qui m'intimidaient tant. Regar-
dez ! Ils ne vous mordent pas ! De quoi avez-vous
peur ? Apprivoisez-les doucement, lentement. Ecrivez.

J'avais écrit. Etonnée, d'abord. Enhardie, ensuite.
Etourdie, aussi.

Elle m'avait donné un territoire, mon territoire, et
je ne l'en remercierais jamais assez. Ce qu'elle ne voulait pas faire, elle me l'offrait en son nom. Elle me
révélait un monde qu'elle imaginait, qu'elle goûtait
les yeux fermés mais qu'elle s'interdisait. Pourquoi ?
Je n'ai jamais su. J'ai su le pouvoir qu'elle m'avait
donné, telle une bonne fée. Attentive et exigeante. En
me laissant toute la place. Sans jamais dire comme
tant de mères possessives, outrecuidantes : c'est moi
qui vous ai faite, sans moi vous ne seriez rien. Jamais

elle n'a revendiqué la moindre parcelle de pouvoir dans mon éclosion qu'elle surveillait du coin de l'œil.

Ma mère...

Elle refusait de les lire, ces livres que j'écrivais en mon nom, le nom de ce mari honni. Nom qui s'inscrivait partout en lettres majuscules.

Quand je les lui envoyais, pas toujours car il m'arrivait d'être trop en colère pour me soumettre, pour écrire son nom sur une enveloppe dans laquelle j'aurais glissé le livre, elle les mettait de côté. Pour plus tard. Quand elle aurait le temps.

Elle les ouvrait aux rayons des librairies. Elle ne voulait pas les acheter. Trop cher. C'est exorbitant le prix des livres, tu ne trouves pas ? Elle les feuilletait, debout. Elle les refermait et me disait je ne comprends pas qu'on publie ça.

Ça...

— Moi qui écris si bien, ajoutait-elle, j'ai envoyé mes manuscrits à tous les éditeurs et aucun n'a jamais été pris. Alors que toi... Non, je ne comprends pas. Quand écriras-tu un livre dont je pourrai être fière ? Mon ami, M. Laplace, a écrit un très beau livre, digne et historique, sur Richelieu.

— Ah oui ! Chez qui ? je demandais, les babines retroussées, prête à mordre. Je n'en ai pas entendu parler.

— Il l'a publié à compte d'auteur et il les vend lui-même. Un très beau livre, instructif et très bien écrit. Tandis que toi... Tu ne feras pas croire que c'est de la littérature !

Alors soudain tous mes livres disparaissaient, s'évanouissaient, partaient en fumée. Je me retrouvais les mains vides, dépossédée. La colère, seule, me sauvait et si je recommençais, sans jamais renoncer, c'était pour vaincre sa résistance, pour récolter un jour un regard délicat, un compliment, un soupir de reconnaissance. J'écrivais pour la vaincre, elle. Pour vaincre son indifférence haineuse.

Cette nuit-là, j'ai écrit, écrit... sans regard noir qui me ratatinait.

Je regardais les hommes dans la rue droit dans les yeux sans rien attendre en retour.

Je m'enivrais du pronom personnel qui m'avait fait si peur jusque-là : *je*.

Je n'aime pas ce commerçant, je n'aime pas sa manière de me répondre, de me rendre la monnaie. J'aime cette vitrine, elle est bien décorée. J'aime ce pull beige et je vais me l'acheter. J'aime la manière dont cette femme parle à son enfant. J'aime la lumière qui tremble à travers les arbres et éclabousse les trottoirs. J'aime les rues de Paris, j'aime Paris, j'aime la France, j'aime les chômeurs de France, les Noirs et les Arabes de France, les impôts trop élevés en France, l'odeur de bon pain qui sort des soupiraux des boulangeries de Paris, les bouches de métro qui crachent leur air chaud, je n'ai pas envie de partir à l'étranger.

J'aime ce pigeon qui s'est réfugié sur les toits, sous ma fenêtre. Il titube, il s'écroule et bat l'air de ses ailes. Je lui souffle dessus, de loin, et l'encourage à résister.

Et même... je respecte ma mère. Son passé. Sa matière. C'est son histoire. Elle n'a jamais voulu y réfléchir. Pas assez de courage, peut-être. Pas les bons outils. Pas le droit de se laisser aller au plaisir d'être elle. Pas de plaisir. Le plaisir est mal vu dans sa famille. Il perturbe l'ordre, le sacro-saint ordre familial. Si chacun se met à se faire plaisir qu'adviendra-t-il du devoir, de l'or, des pierres amassées par la famille ? Le plaisir est dangereux, petite maman. Tu le sais et tu le redoutes. Le devoir, lui, est rassurant. Il y a un modèle observé dans chaque famille, il suffit de s'y rapporter et de l'illustrer. De creuser le sillon dessiné par tes ancêtres. Mais à force de nier ton droit au plaisir, tu as accumulé une colère farouche, tenace, qui a bousillé ta vie et celle de tes enfants.

J'aime ma mère et je lui dis au revoir.

Je me suis réconciliée avec elle en lui disant au revoir.

Je ne la déteste plus, je n'attends plus rien d'elle, je la respecte. Je respecte son mal-être mais je reste à distance.

Je tournais, je virevoltais, j'étrennais une robe nouvelle et je me trouvais belle. Irrésistible, unique.

Si légère...

Ce n'est pas toi qui as répondu. C'est ta voix, ta voix numéro un sur le répondeur. Je t'ai laissé un message, te pressant de me rappeler le plus vite possible, j'avais une nouvelle très importante à t'annoncer. Une nouvelle palpitante, j'ai précisé.

Je palpitais.

J'ai appelé mon frère, mon petit frère, et je lui ai tout raconté. Par le menu, menu. En chuchotant, en souriant, en amplifiant ma voix selon le progrès de l'histoire, en proclamant, en entrecoupant mon récit de fous rires libérateurs et triomphants... Ecoute, écoute... Attends, attends... Et alors... Son regard, au début émerveillé et tremblant quand je l'ai transformée en héroïne, quand je l'ai isolée, regardée... son soupir de délivrance, d'être enfin vue, reconnue et acceptée, et l'aveu, l'aveu de ce terrible péché qu'elle portait comme une croix trop lourde et qui la renvoyait buter contre nos demandes d'amour à nous. *Elle ne pouvait pas nous aimer, tu comprends ? Elle ne pouvait pas. On ressemblait à papa !* Ce n'est pas incroyable, formidable, extraordinaire, exorbitant ? lui ai-je dit en regardant le ciel bleu foncé de Paris, les toits en pente gris ardoise, le pigeon qui se lustre l'aile de son cou plumé en attendant de retourner se bagarrer sur le trottoir. Le soleil qui entre dans l'appartement me remplit le corps et le cœur, me fait envoyer des baisers dans l'air et bondir pour attraper l'horizon, la terre, le ciel et le pigeon. Tout ce bonheur récolté au fil d'un banal dîner de fête des mères ! Cette douleur fulgurante qui se transforme en miel, en promesses de vie nouvelle...

— Ah oui..., m'a-t-il dit. Tu ne savais pas qu'elle ne nous aimait pas ?

— Non... Enfin, si... j'espérais toujours. J'attendais un miracle.

— Eh bien, moi, ça fait longtemps. Longtemps que j'ai compris, longtemps que j'ai renoncé.

— Ah...

— Et sinon... quoi de neuf ?

— Rien... Mais tu ne trouves pas ça incroyable ?

— Ecoute, petite sœur... On est foutus, tu le sais. Je ne peux pas rester avec une fille plus de six mois et toi, tu fais souffrir tous ceux que tu rencontres. Qu'ils le méritent ou pas ! Ce n'est pas après un dîner comme ça que tu changeras. Tu te racontes des histoires !

— Parle pour toi... Mais moi, tu vas voir ! Je le sens, tu comprends, je le sens dans mon corps, dans mon cœur, dans ma tête...

— Tant mieux pour toi !

Et il a raccroché.

Je palpitais toujours.

Tu as appelé.
Tu avais ta voix numéro trois.
Je t'ai laissé parler. Je ne comprenais pas tout mais je devinais.
Le dîner chez tes parents... Toi, tendu, mal à l'aise. Un bouquet de fleurs à la main dont tu ne savais que faire. Qui t'encombrait, dont on ne te débarrassait pas. Essayant d'être à l'unisson mais renversant une chaise, un verre de vin, t'excusant, prévenant le geste de ta mère qui avait déjà pris une éponge pour réparer les dégâts. Elle avait mitonné tous les plats que tu aimais. Trois jours qu'elle était « en cuisine ». Pour toi...
— C'était sa manière à elle de te dire qu'elle était heureuse que tu sois là !
Tu ne m'entends pas. Tu continues avec le même débit incompréhensible, ta voix qui dérape, qui devient aiguë, insupportable. Ton père assis à table, silencieux, muet. Il regarde ta mère qui tournoie, se penche vers toi, t'enlace, pèse sur tes épaules, se niche contre ton cou, te parle de toi petit, un petit garçon si doux, si mignon, si gentil et « toujours premier en classe »...
— Toujours premier en classe !
Un petit garçon si parfait, qui faisait sa joie et sa fierté. Toutes ses amies l'enviaient d'avoir un fils aussi sage, aussi bon élève, aussi docile. Un fils qui ne se bagarrait jamais, qui ne déchirait jamais ses vêtements, qui ne traînait pas en sortant de l'école, qui

revenait vite retrouver sa maman. Je te préparais un bon goûter, tu ouvrais ton cartable et tu me montrais tes devoirs. On les faisait ensemble, tous les deux, sur la table de la cuisine. On avait toujours de bonnes notes ! On récoltait toujours les félicitations écrites en rouge en bas du livret ! On ne négligeait rien. On se fixait des buts. Toujours plus haut, c'était notre devise. Tu te rappelles ? Un seul jour, tu m'as déçue, dit-elle en te regardant la tête penchée sur l'épaule, alourdie par un souvenir douloureux qui lui mouille encore les yeux... C'est quand tu as eu douze en musique à l'école alors que je te faisais répéter ton piano et ta flûte chaque soir. Chaque soir, tous les deux côte à côte, on faisait des gammes, on révisait le solfège, on jouait ensemble, sur le tabouret du piano. *Le Gai Laboureur*, *La Valse favorite*, la *Lettre à Elise*... Tous ces morceaux que j'avais joués, enfant... Et ce jour-là, à l'école, tu as eu douze en musique. Douze en musique ! Mon passé de petite fille qui voulait aller au Conservatoire, être une grande musicienne, donner des concerts en robe noire, m'est revenu et tu m'as blessée. J'avais mis tant d'espoir en toi ! Tu m'as dit que c'était très bien ainsi et que tu arrêtais le piano et la flûte. Tu m'as jeté un regard méchant, déterminé, les poings dans les poches, bien campé sur tes jambes. C'est fini ! J'arrête ! Je t'ai regardé, les yeux remplis de larmes. J'étais si triste, ce soir-là, que je me suis endormie en pleurant, en étouffant mon chagrin dans les plis des draps. Je m'en souviens comme si c'était hier... Un jour terrible pour moi ! Mais le lendemain, tu t'es repris et tu m'as promis d'avoir dix-huit, la prochaine fois. Personne n'avait jamais vingt, de toute façon. Dix-huit, c'était bien et je t'ai serré si fort contre moi que tu tremblais. Je me souviens de tout, tu vois...

— Ensuite, on est passés à table... J'étais mal, tu sais, si mal. Je ne savais pas quoi dire, alors je parlais de n'importe quoi.

— Tu leur as dit que tu étais amoureux ?

Il éclate de rire. Un rire méchant, sonore qui me crève les tympans.

— Tu es folle ! Je n'ai jamais amené une fille chez moi !

— Mais ils doivent bien se douter que...

— Le pire, ça a été après...

Après le dîner...

Tous les trois repus, le ventre qui heurte la table. Il faut tout manger, elle dit. J'ai cuisiné avec tout mon amour. Mange, mon bébé, mange. Je suis sûre que tu ne te nourris pas bien chez toi. Tu n'as jamais su faire la cuisine... Je te connais par cœur, c'est moi qui t'ai fait. Et toi qui n'en peux plus mais qui manges encore, qui avales un premier dessert puis une glace maison et enfin une petite mousse au chocolat pour garder le goût en bouche pour le café. Tu vois, je me rappelle que tu aimes le chocolat avec le café... Tu avales, tu avales pour ne pas lui faire de peine. Elle te regarde avec des yeux brillants. Elle ne mange presque rien, elle. Elle goûte les plats pour vérifier qu'ils sont assez cuits, assez dorés, assez goûteux, et puis elle les glisse sous ton nez et veille à ce que tu finisses ton assiette.

Après le dîner... quand tu te sens si lourd, si lourd que tu aimerais rentrer te coucher, tu te lèves sur une fesse puis sur l'autre, tu prends appui sur la table et tu dis merci maman, merci pour tout, ça a été une soirée délicieuse mais je crois que je vais rentrer...

Après le dîner, elle te regarde, elle te couve du regard, elle te dit que tu as bien mangé, qu'elle est heureuse, qu'elle ne te voit pas assez souvent, qu'elle ne comprend pas pourquoi, que cela lui fait de la peine, beaucoup de peine, ça sert à quoi d'avoir un fils parfait s'il ne vient jamais me voir... L'autre jour, je suis passée à ton bureau, je passe souvent sous les fenêtres de ton bureau, je savais que tu étais là, ta voiture était garée devant, mais une secrétaire, une pimbêche, m'a dit que tu étais parti en rendez-vous à l'extérieur.

— J'ai donné l'ordre à tous, au bureau, de lui interdire l'accès de ma porte. Au début, elle venait tout le temps, elle s'asseyait dans un coin et me regardait travailler ! Elle refaisait les calculs de l'expert-comptable, elle rangeait mes dossiers, prenait mes rendez-vous, remplaçait ma secrétaire...

Tu t'excuses, tu protestes, tu inventes mille excuses de travail, de travail surtout et uniquement de travail. Elle te prend dans ses bras. Elle a mis son tablier pour débarrasser. Elle te serre dans ses bras comme quand tu étais petit, qu'elle t'avait pour elle toute seule et puis elle relève la tête et elle te dit tu sais ce qui me ferait plaisir, ce qui serait mon plus beau cadeau de fête des mères ? Tu secoues la tête, tu dis non, je ne sais pas, j'avais apporté des fleurs parce que je croyais que ça te ferait plaisir, elle dit que oui les fleurs lui ont fait plaisir mais ce qui la rendrait par-dessus tout heureuse, c'est que tu restes dormir là, avec eux.

— Je ne peux pas, il n'y a pas de chambre...

Depuis que tu es parti de la maison, tes parents font chambre à part. Les deux seules chambres de la maison sont occupées. Où pourrais-tu dormir ? Ce n'est pas possible. Le salon est si petit qu'il n'y a pas de place pour un canapé. Non vraiment, tu ne vois pas. Ce n'est pas pour lui faire de la peine mais...

— Je suis grand, maintenant, je prends de la place !

Tu as dit ça en riant, en frappant sur tes hanches de géant, en étendant les bras presque jusqu'au plafond. Pour alléger l'atmosphère que tu sens lourde, si lourde. Pour faire sourire ton père qui ne dit rien, qui ne dit jamais rien, qui attend la nuit pour observer les étoiles. Il a investi sa prime de retraite dans l'achat d'une lunette très puissante et il passe ses nuits à contempler la Voie lactée, à essayer d'identifier toutes les traînées de lumière, à découvrir éventuellement une nouvelle étoile. Il est inscrit à un club international d'observateurs d'étoiles. Il correspond avec des gens dans le monde entier. C'est sa passion. Il y consacre tout son temps, maintenant. Quand tu étais petit, parfois, en cachette, il venait te trouver et te faisait lever. En pleine nuit. Pour partager sa passion avec toi. Une nuit, ta mère vous a surpris et s'est fâchée. Il fallait que tu sois en forme pour l'école. Ce n'était pas raisonnable. Il fallait que tu conserves ta place de premier à l'école. Enfin, voyons... Ton père n'avait rien dit et n'était plus jamais venu te réveiller. Tu l'attendais, les pieds glacés sur la bouillotte brûlante que t'avait préparée ta mère. Tu te forçais à garder les yeux grands ouverts pour qu'il n'ait pas honte de te réveiller mais il ne venait plus jamais. Tu mettais ton réveil à sonner toutes les heures... Aujourd'hui, il a sa chambre et la tête dans les étoiles. Depuis combien de temps a-t-il la tête dans les étoiles ? tu te demandes en le regardant. Il ne dit rien. Il n'a pas souri quand tu as dit que tu prenais de la place, qu'il te fallait un vrai lit pour dormir... Quand tu t'es retourné vers ta mère en écartant les bras en forme de refus.

Mais tu dormiras avec moi, mon chéri ! Comme quand tu étais petit et qu'on dormait serrés tous les deux... Je te faisais des câlins, je te respirais, je te racontais des histoires pour t'endormir, je tenais ton corps contre le mien, ton corps qui me réchauffait, me rassurait, me donnait faim, me donnait soif, chassait tous mes soucis, tous mes regrets. Dis-moi oui, mon chéri.

Elle s'est collée contre toi, en femme offerte et lourde.

— C'est horrible, c'est horrible. J'ai eu envie de

l'étrangler ! Je suis parti à toute allure. Ils ont dû croire que je prenais la fuite.

Tu gémis. Tu répètes que c'était une soirée horrible, horrible... Tu cries ton dégoût. Je la déteste, je la déteste, tu répètes. Quand ma voiture est sale, elle laisse un mot sur le pare-brise en me disant de la laver, quand j'ai les cheveux trop longs, elle fait la moue et me dit de les couper, elle regarde si mes cols de chemise sont bien repassés, si mes ongles sont propres avant d'aller à table, elle me présente des jeunes filles qu'elle connaît pour que je les épouse, des jeunes filles parfaites qui me conviendraient, dont elle connaît les parents, les antécédents, je n'en peux plus, je n'en peux plus !

Je ne peux plus t'arrêter. Ta voix haut perchée reprend tous les griefs accumulés et les crache comme autant de nœuds qui t'empêchent de respirer.

L'amour est une denrée étrange. Trop d'amour étrangle. Pas d'amour détruit.

Il faudrait une balance pour apprendre à aimer. Le fléau de la balance qui disparaît sous l'excès ou le manque.

C'est pour cela qu'on s'est rencontrés ? Pour apprendre à aimer entre le trop et le rien ? Pour connaître le vrai amour, la vraie position du fléau de la balance ?

Mais c'est quoi, le vrai amour ?

Il nous reste tout à apprendre.

Tout un amour, toute une vie à recommencer.

Il faut du courage pour être heureux. Se retrousser les manches et ne jamais renoncer.

On marche dans la ville. On marche et je te suis. Comme si cette course allait nous mener quelque part. Comme si on avait un rendez-vous urgent qu'il ne fallait pas manquer.

On n'arrête pas de marcher. Tu fonces comme un enragé. Je trotte derrière toi, bute dans une pierre mal scellée, un trottoir irrégulier mais tu ne ralentis pas. Tu poursuis ton chemin comme si c'était le seul moyen pour toi de t'alléger, de relancer un monologue intérieur que je t'entends marmonner bien que tu ne parles pas, que tu ne te retournes pas. Tes mains sont enfoncées dans les poches de ta veste et je les sais recroquevillées, crispées. Tes épaules écartent les passants, les bousculent, les boutent hors de ton chemin, s'énervent de la lenteur des badauds et tracent leur sillon. Tu fonces tête baissée. Tu as le regard fixe d'un enragé.

On passe devant des cafés, des librairies, des étals de fleurs, de tee-shirts, de tours Eiffel, mais rien ne ralentit ton pas. Un nain, bossu, assis sur le macadam, torse nu, exhibe sa bosse et tend la main, tu ne le vois pas. Une pub Chanel s'affiche avec une fille blonde qui repose sa tête sur des flacons de numéro 5. La fille sourit et ses longs cheveux balaient les flacons de parfum. Une main anonyme a écrit en dessous : « Je pue. » Je te tire par la manche, regarde, regarde. Tu n'entends pas et poursuis ta marche effrénée. On s'engouffre sous les arcades de la rue de Rivoli, sous les réverbères dont les globes frappés par le soleil resplendissent en plein jour, diffusant une lumière orange qui inonde les arcades. On glisse sur les sols en céramique qui dessinent des losanges, des carrés, des dessins compliqués et multicolores près de l'hôtel Intercontinental. Je ralentis et observe les motifs entrelacés. Je ne veux pas faire la course avec toi, toi qui fuis devant moi.

Je te dis on va chez moi, je te fais du thé, du bon thé fumant, et on parle, on se repose, on s'allonge tous les deux l'un contre l'autre. J'ai plein de choses à te raconter. Je me suspends à ton bras mais tu ne ralentis pas. Tu continues, furieux.

Tu ne me demandes pas si je suis fatiguée.

Allez, viens, je recommence, têtue, je suis épuisée, j'ai mal aux pieds. On va où comme ça ?

Tu m'attrapes sans te retourner, m'arrimes à ta hanche et me forces à marcher à ton allure.

Je trébuche, tu me soutiens, me hisses contre toi et nous reprenons notre course folle. J'ai essayé de te parler du dîner avec ma mère mais tu n'as pas entendu. Je t'ai senti distrait. Ailleurs. Alors je m'applique à marcher à ton rythme. Je coince mon sac sur mon épaule pour qu'il ne tombe pas et je te suis....

Je veux retrouver mon assurance ancienne. La manière autoritaire et légère dont je parcourais ces rues de Paris avec elle. Le monde m'appartenait.

C'est toujours pareil. Un jour, je suis le roi du monde, je me sens fort, invincible, capable de la soulever dans mes bras, de l'emmener au bout de l'univers. Je suis un homme comme les autres. Mieux que les autres, même. Puis il se produit un incident comme le dîner chez mes parents ou un rien du tout. Un reflet de moi que je surprends dans une vitrine, une mèche trop en arrière, le col de mon polo coincé dans ma veste, mon imperméable froissé, un regard, un sourire que je surprends et je ne sais plus. Je ne sais plus marcher, je ne sais plus triompher. C'est fini. Je n'ai plus confiance en moi. J'ai l'impression qu'on me regarde avec commisération. Je me trouve gros, lourd, péremptoire. Un pauvre type, quoi. J'ai envie de me coller contre un mur et de tendre la main. Vous n'avez pas un franc ou deux pour me dépanner ? A vot' bon cœur, mesdames. A vot' bon cœur, messieurs. Je voudrais disparaître. Insupportable. Insupportable... Est-ce qu'elle me voit quand je suis comme ça ? Est-ce qu'elle voit que je suis un pauvre type ?

Ton bras autour de moi me soulève parfois, me pousse, me soustrait à la pression des autres. Tu regardes droit devant et me remorques comme un paquet. Soudain, tu t'arrêtes, tu me plaques contre le mur, tu appuies ton corps contre le mien. Tu me saisis par le menton, tu me forces à te regarder. Tu plonges ton regard noir, affolé, dans le mien et tu m'embrasses. Tu me meurtris la bouche de tes baisers donnés en pleine rue devant tout le monde. Tu repousses ma veste, remontes mon tee-shirt, empoignes mes seins. Non, non, pas devant tout le monde, je te dis doucement en me dégageant et je me rajuste.

— Tu as honte ? Honte de moi ?

— Non... S'il te plaît, arrête. Arrête.

Les voitures descendent la rue de Rivoli, les taxis ignorent les clients qui les hèlent, désespérés. Des touristes protestent en anglais, en japonais. Un groupe de dames âgées sort de chez Angelina avec des paquets de gâteaux à la main. Poudrées, immaculées. Si propres sur elles que je me sens sale tout à coup d'avoir été retroussée en pleine rue.

— Je suis fatiguée...Tu vas trop vite ! On pourrait prendre un taxi ?

On reprend notre marche furieuse. Un mètre nous sépare maintenant et tu ne t'en aperçois pas. Je ne franchirai pas cet espace, je te laisserai aller.

Elle a honte, c'est sûr. Elle me prend pour un fou. Elle veut me parler, m'apaiser, me comprendre. Je n'ai pas besoin qu'on me comprenne. Je vaux mieux que tous ces hommes qu'on croise, tous ces hommes qu'elle a croisés. Je ne veux pas de son amour-pitié. Je veux qu'elle m'aime comme un champion. Je suis mieux que les autres, tous ces autres qui ne la regardaient même pas. Elle ne le sait pas. Je vais lui donner des preuves. Les femmes veulent toujours des preuves. Des preuves d'amour. Rien qu'elle et moi ! Elle et moi ! Parfois je la déteste d'avoir eu ce passé

avant moi. J'ai envie de la battre, de l'étrangler, que son dernier regard étonné soit pour moi.

Pauvre type ! Elle a connu trop d'hommes avant toi. Ils l'ont couverte de cadeaux, d'argent, de soirées dans les grands restaurants. Tu ne fais pas le poids ! J'irai emprunter de l'argent à la banque et je la ferai vivre sur un grand pied. Elle aura tout ce qu'elle voudra. Oui, c'est ça. Je vais m'occuper d'elle complètement...

Tu t'arrêtes brusquement et j'agrippe ton bras pour que tu ne repartes pas. Je pose ma joue contre ta manche en signe de paix. Tu m'arraches de la foule et on se réfugie derrière une colonne de pierre.

— J'ai décidé que je t'entretiendrais dorénavant ! Je paierai tout ! On prendra un grand appartement et on vivra ensemble...

— Mais tu es fou ! Je n'ai pas besoin qu'on m'entretienne ! Je n'ai pas besoin de ton argent !

Et puis plus bas, comme un aveu échappé dans cette foule bruyante et brutale :

— Tu vois, tu recommences. C'est plus fort que toi !

C'est à ce moment-là qu'elle t'a hélé, la grande fille brune. Elle a crié ton prénom et tu t'es retourné, laissant mourir sur tes lèvres la protestation que tu t'apprêtais à formuler. Elle t'a fait signe sur le pas de la librairie Galignani. On a fendu la foule pour la rejoindre. Elle s'est jetée à ton cou, t'a embrassé. Tu nous as présentées. Je ne me rappelle plus son nom. Je n'avais pas envie d'écouter votre conversation. J'étais épuisée, écœurée. Je désirais plus que tout me retrouver seule, loin de toi. En paix. Je t'ai dit que j'allais faire un tour dans les rayons, regarder les livres, et je vous ai laissés à la caisse. Elle te parlait avec animation et ton regard s'était radouci, tes épaules se détendaient et tu t'es appuyé contre un mur pour te reposer.

A un moment, je t'ai entendu éclater de rire. Un rire de bon aloi, tonitruant mais gai, pas un de tes rires sardoniques et blessants. Je me suis retournée, étonnée, mais tu ne m'as pas vue. Je crois bien que j'ai été jalouse.

Quand je vous ai rejoints à la caisse, je tenais un livre à la main. Un gros livre d'art, sur Delacroix et son séjour au Maroc. Un livre rempli d'illustrations somptueuses. Un livre cher à l'achat. Tu l'as vu et tu t'es précipité pour payer. Je t'ai repoussé doucement, j'ai dit non, laisse-moi, c'est un cadeau que je me fais. Tu as murmuré tout bas, menaçant, tu ne paies pas quand tu es avec moi, compris ? Tu ne paies jamais avec moi ! Tu as jeté des billets sur la caisse. Je les ai repoussés et j'ai sorti mon chéquier.

Elle l'a remarqué, la grande fille brune, ce geste discret de mise à l'écart. Je me suis penchée pour rédiger mon chèque, elle a dû croire que je n'entendrais pas mais j'ai parfaitement saisi ses mots, les mots qu'elle a prononcés pendant que je payais, les mots que je n'étais pas censée entendre.

— Et elle ? elle a dit, sournoise. Elle, elle te sup-

263

porte ? Elle arrive à te supporter ? Ce serait bien la première !

Et elle a éclaté de rire en se jetant à ton cou, en un geste de propriétaire, de fille qui t'avait eu et qui entendait que cela se sache.

Qu'est-ce que je pouvais dire, après ça ? Qu'est-ce que je pouvais faire ?

On est ressortis. La fièvre t'avait quitté. On marchait au ralenti. On ne fendait plus la foule, on se laissait porter par elle, par les touristes qui avançaient leur guide à la main, les enfants qui jouaient à se glisser entre les passants, les parents qui flânaient bras dessus, bras dessous, devant les vitrines, tendaient leur visage au soleil de ce mois de mai. On avançait l'un à côté de l'autre, séparés, distants.

Tu m'as arraché le livre des mains, tu voulais le porter toi-même. Je n'ai rien dit. Je me sentais si lasse, si près de perdre la partie.

On avançait côte à côte et je regardais mes pieds, découragée.

La veille encore, j'étais forte, légère, sûre d'entamer avec toi une longue marche triomphale. La veille, tous les torts étaient de mon côté et, si je refusais ton amour, c'était ma faute, ma très grande faute. La veille, j'avais tous les courages, toutes les audaces. J'avais éliminé mon ennemi, mon plus terrible ennemi. J'étais prête pour un amour tout neuf. Rien que toi et moi. Sans fantôme meurtrier.

Sous les arcades de la rue de Rivoli, je n'étais plus sûre de rien.

Plus sûre d'être assez forte pour vaincre tes fantômes à toi.

Je me suis avancée sur la chaussée et je me suis immobilisée.

Je refusais d'aller plus loin. Je refusais d'avancer.

Tu es venu te mettre devant moi, tu m'as ouvert les bras en un grand geste de patriarche, mais je ne me suis pas serrée contre toi. L'exaltation de notre course folle avait mis des couleurs sur tes joues et tu avais les pommettes rouges, enflammées. Tu transpirais. Des gouttelettes de sueur perlaient à tes tempes. Tu les as essuyées d'un revers de la main et ton regard m'a évitée.

Je restais là, butée, obstinée. Faisant attention à ne pas te toucher, à ne pas toucher un gramme de ton corps.

Tu m'as contemplée, silencieux, et tu as hélé un taxi.

Tu as couru vers le taxi qui avait ralenti et se garait un peu plus loin.

Tu as couru pour qu'il ne reparte pas.

J'ai pris mon temps pour te rejoindre. Je ne voulais plus me hâter.

Tu es parti devant moi et je t'ai vu courir.

Ta veste noire volait dans ta course, tes mocassins

noirs s'écrasaient sur les côtés. Tu portais mon livre. Tu étais empêtré pour courir.

Je t'ai regardé courir et j'ai vu.

J'ai vu une femme gauche, embarrassée. Une femme lourde, d'âge mûr, essoufflée par trop de poids à porter, engoncée dans un manteau trop épais, aux pieds serrés dans des gros godillots. Une femme avec des hanches larges, des jambes énormes enveloppées dans des bas opaques comme ceux qu'on voit dans les vitrines des magasins spécialisés pour personnes âgées, des bras qui battaient l'air comme des ailerons de baleine.

Tu courais comme une vieille femme corpulente.

Ce qui jaillissait de toi, dans cette course, ce n'était pas l'homme bondissant qui tirait dans les étoiles pour qu'elles tombent à mes pieds, l'homme libre et fort qui me dessinait une vie nouvelle, légère, où j'inscrivais mon nom en or, mais une vieille femme massive qui se suspendait à tes basques, t'empêchait de t'élancer, te ralentissait dans tes efforts pour te dégager, une vieille femme que tu portais sur ton dos, qui avait pris possession de ton corps, de ta vie, de tes espoirs, de tes amours.

Une femme qui se dressait devant moi en ennemie et m'apparaissait méchante, hideuse, menaçante.

Quand je me suis assise dans le taxi, j'ai compris que j'étais prisonnière, prise en otage par cette vieille femme et toi.

Elle était là, assise entre nous. Avec son gros manteau, ses larges hanches, ses bas épais, elle reprenait son souffle. Elle s'éventait, dégrafait un à un les boutons de son manteau. Elle passait sa main sous ses aisselles, remettait de l'ordre dans ses cheveux et donnait mon adresse au taxi. Elle se retournait vers moi et me jaugeait, sûre d'elle. Elle me regardait, paisible, et glissait à mon oreille : j'étais là avant, mademoiselle.

J'ai frissonné, me suis recroquevillée à l'autre bout de la banquette et quand tu as voulu m'attirer contre toi, j'ai failli crier : la vieille femme me prenait dans ses bras.

Je ne pouvais pas te le dire. Je ne pouvais pas. C'était trop intime, trop effrayant.

Et puis, j'en étais sûre, tu ne le savais pas. Tu ne voulais pas le savoir. Tu voulais tout oublier de cet amour dévorant de ta mère pour toi. Cette mère qui te voulait parfait, qui voulait que tout soit parfait autour de toi. Tu la portais en toi. Sur ton dos, dans ta peau. Incrustée. Tatouée. Elle ne te lâchait pas d'une semelle.

Elle te prêtait même sa voix...

La veille, tu avais explosé, tout à coup, au téléphone parce que tu ne pouvais plus te maîtriser, que tu suffoquais, mais aujourd'hui, je le savais, tu avais déjà oublié ce dîner qui t'avait fait perdre ton contrôle, ton fameux contrôle, qui avait enclenché cette folle course dans la ville.

Pour lui échapper.

Tu prenais la fuite mais tu ignorais que tu la portais sur ton dos.

Ta mère accrochée à tes épaules, qui te donnait des ordres pour avancer. A droite, à gauche, en avant, en arrière. Des ordres pour aimer : comme ci, comme ça. Pas celle-ci, celle-là.

Pour ne pas aimer.

Quand tu me regardais, ce n'est pas toi qui me regardais mais elle. Quand tu me couvrais de cadeaux, d'attentions, c'était pour lui plaire à elle. Elle qui n'en avait jamais assez, qui n'était jamais rassasiée.

Ce n'était pas moi qui me tenais face à toi.

C'était ta mère que tu devais toujours contenter.

Chaque nouvelle fille, chaque nouvel amour était un moyen pour toi de la fuir, d'arracher un amour qui te délivrerait d'elle, pensais-tu. Tu ne pouvais pas aimer, tu ne pouvais pas t'aimer : elle prenait toute la place, elle te bouchait la vue, le nez, les oreilles.

Parce qu'elle te supporte, elle ? Elle arrive à te supporter ? Ce serait bien la première ! avait dit la grande fille brune dans la librairie.

Elle arrive à supporter la mère que tu portes comme un poids trop lourd, cet amour à trois où la fille n'est jamais assez bien à ses yeux à elle, où rien n'est jamais assez parfait à tes yeux à toi.

Et toi tu te décarcasses pour que ton amour pour l'autre soit en tout point semblable à celui qu'elle te portait, cet amour qu'elle t'a appris à vénérer plus que tout.

Je ne peux pas te dire tout ça.

Je ne peux pas. Tu n'es pas prêt.

Tu as ouvert la porte de mon appartement et tu m'as poussée dans l'entrée.

Tu virevoltes, tu t'agites, tu essaies de comprendre pourquoi je me suis fermée soudain. Tu arpentes le plancher en enfonçant les talons, tu tournes, tu tournes en rond, les pouces dans ta ceinture, les pouces enfoncés jusqu'à la garde dans ta ceinture, les coudes écartés en une interrogation muette et violente. Tu poses sur moi ton regard fixe, déterminé, violent.

Tu aboies :

— Tu es toujours aux aguets, toujours à l'affût. Qu'est-ce que j'ai encore fait ? Allez, parle ! C'est à cause de cette fille dans la librairie ? C'est à cause d'elle ?

Je ne peux pas te raconter ce que j'ai vu.

Je ne peux pas.

— J'ai encore failli, hein ? C'est ça. Tu l'as ton excuse, maintenant, pour rompre, pour tout casser, tu es contente ? Tu n'en as pas marre de répéter, de tuer tout ce qui t'aime, tout ce qui frémit d'amour autour de toi ?

Et soudain, c'est moi qui transpire, qui sue à grosses gouttes, qui doute. Et si c'était l'ennemi qui avait frappé ? Si je m'étais trompée et que j'étais victime d'une hallucination, mise en scène par l'ennemi de toujours ? Et si toute cette belle scène de libération au restaurant avec ma mère n'existait que dans ma tête ?

Mon frère a raison. On est foutus, ma vieille, on ne peut pas aimer, tu te racontes des histoires...

269

Pourtant je suis sûre : je l'ai vue accrochée à ton dos comme une sorcière malfaisante. Je pourrais écrire un rapport détaillé, circonstancié, décrire sa poudre de riz qui vire en plaques rouges, ses cheveux gris roulés en une permanente impeccable, ses larges mains gantées qui tiennent un petit sac de chaisière, ses jambes lourdes, enflées. Je l'ai vue !

Je l'ai vue...

Je l'ai vue ou est-ce l'ennemi qui l'a mise dans mes yeux ?

Tu as dû sentir que tu faisais mouche ; toute ton excitation tombe d'un coup. Tu redeviens l'homme sûr et calme qui m'aime et va me guérir. S'engouffrer dans la faille qui s'est rouverte.

Et si c'était l'ennemi ?

Tu t'approches, me prends dans tes bras. Je me raidis un peu mais me laisse faire.

— Je serai plus fort que toi, plus fort que tout ! Laisse-moi faire. Aie confiance !

Je m'abandonne contre toi. Tes mots me bercent, bercent le doute qui m'étreint soudain. J'ai envie de pleurer, de verser des litres et des litres d'eau tiède et salée contre ta veste noire. Je suis lasse, si lasse. Perdue. Je ne sais plus à quoi me raccrocher. Mais je me retiens. Ce serait trop facile. Et puis je ne suis pas encore convaincue d'avoir tort. Après tout, je mène une enquête. Un inspecteur ne doit pas pleurer. Il doit continuer son investigation, recueillir des preuves, des témoignages. Interroger tous les témoins.

— Je vais devenir un homme parfait ! Je vais apprendre à t'aimer, te laisser venir à moi lentement. Je ne vais plus te forcer, te harceler. Tu vas voir ! Je vais t'aimer comme tu en as envie.

— Je ne veux pas que tu sois parfait, je dis tout doucement. Pas au sens où tu l'entends... Je veux que tu sois toi, que tu mettes le doigt sur ce que tu es vraiment.

Un homme parfait, qu'est-ce que c'est ? C'est un homme debout qui occupe son territoire. Un homme imparfait mais qui sait qui il est. Qui accepte ses limites, ses richesses, qui dit je suis comme ça et je vais en tirer le meilleur. Qui n'essaie pas d'être un autre. De plaire à tout prix. A l'autre, pour oublier qu'il n'est que ça : un homme comme les autres.

— Le problème n'est pas d'être un homme parfait, je reprends d'une voix tremblante, comme si je découvrais une vérité nouvelle. Le problème, c'est de reconnaître et d'occuper son territoire. Je peux te servir à ça. Profites-en. Ça s'appelle aussi l'amour. Les moyens de devenir soi-même grâce à une autre qui te regarde et qui t'aime pour toi, pas pour une image idéale de toi. Je veux apprendre ça avec toi. Pour toi et pour moi. J'en ai besoin autant que toi, tu le sais.

Il dit oui. Il m'écoute. Il promet.

Une flamme de bonheur brûlant brille dans ses yeux. Il est chargé d'une mission, d'une nouvelle mission.

271

— Je voudrais rester seule, maintenant. Je suis fatiguée, si fatiguée.

— Mais je ne te gênerai pas. Je resterai là et je te regarderai dormir...

— Non, s'il te plaît...

J'essaie de cacher le sentiment de dégoût que j'éprouve pour lui. Et la vieille femme. Je ne veux pas d'étreinte à trois. Je vois toujours ses hanches larges, ses grands pieds, ses bas de contention. Elle se dresse devant moi et veut me prendre dans ses bras.

Pour m'étouffer. M'étrangler.

— Il y a deux minutes, tu me disais que tu allais cesser de me harceler... Tu as déjà oublié ? Ecoute-moi quand je parle, je t'en supplie. Ecoute-moi...

— Je ne te toucherai pas ! Je veux rester avec toi !

Je secoue la tête, le repousse peu à peu vers la porte, pousse son grand corps, son corps lourd, encombrant, encombré. Il résiste et tente de s'esquiver, de s'échapper pour reprendre du terrain.

— S'il te plaît, supplie-t-il tout bas avec une moue désespérée d'enfant puni, s'il te plaît...

— Non, je ne peux pas. Pas ce soir...

— C'est fini, alors ? C'est fini ?

— Non, ce n'est pas fini. J'ai besoin d'un peu de temps, d'espace.

— Mais qu'est-ce que je vais faire, moi ?

— Tu vas rentrer chez toi et demain, on s'appelle.

— Promis ?

— Promis...

Il me lance un regard effrayé, un regard qui quémande une dernière assurance, une ultime promesse. J'ouvre la porte et le repousse un peu plus loin, sur le palier. Il glisse un pied dans l'entrebâillement et demande à nouveau :

— C'est fini ?

Je lui souris et souffle un baiser. Il reste là, immobile, et la porte se referme sur lui. Je me laisse tomber sur le sol, tends l'oreille pour écouter le bruit de ses pas qui s'éloignent. Il ne bouge pas. Nous sommes chacun de part et d'autre de la porte. Il refuse de s'éloigner. Je me raidis, noue mes jambes et mes bras et attends...

— C'est moi qui t'appellerai, lance-t-il enfin d'une foix forte. C'est moi qui t'appellerai !

Et j'entends le bruit de ses pas lourds qui font craquer le parquet puis dévalent l'escalier.

Il ne m'appelle pas pendant un jour, deux jours, trois jours.

Le désir revient lentement en moi. Je pense à lui comme à un être magnifique qui me manque quand il est absent, me comble quand il est là.

Je pense à lui sans avoir peur.

J'efface la scène de la course rue de Rivoli. Je la mets sur le compte de l'ennemi. Je lui tire la langue à l'ennemi. Je n'arrête pas de le vaincre, en ce moment.

Je n'ai plus peur de la vieille femme accrochée à

son dos. Je l'ai peut-être rêvée. Ou j'en viendrai à bout. Je suis bien venue à bout de ma mère. Je suis plus forte que toutes les mères, maintenant.

Greg est de passage à Paris pour la promotion de son dernier film.

Greg était de passage à Paris pour la promotion de son dernier film car finalement, Greg a tout annulé. Tous ses rendez-vous avec la presse. Il n'a pas envie de parler de son film, pas envie de le défendre.

— Ce n'est qu'un film, dit-il, un film de merde, en plus.

Je m'indigne :

— Comment peux-tu dire ça ? La critique française l'a encensé, ton dernier film !

— La critique américaine l'a descendu. Comme d'habitude. *Anyway...* Je gagne du blé et je fais vivre mes ex-femmes et mes enfants. Je ne suis bon qu'à ça. A leur filer du blé.

— Tu as toujours pensé ça de tes films ?

— Pas au début. Au début, j'étais émerveillé... Je trouvais tout merveilleux ! Et puis...

Il s'interrompt, gifle l'air de sa main. Fait craquer ses articulations, lisse sa barbe nouvelle. Demande :

— On va manger ? J'ai une faim de loup !

Je lui raconte les progrès de mon enquête. Le dîner avec ma mère. Il me dit que j'ai de la chance d'avoir une mère si brutale, si directe. Ça fait gagner du temps.

— Mon père est mort, ajoute-t-il, et je n'ai jamais eu le temps ni l'occasion de me réconcilier avec lui. *Too bad...* Mon frère est mort aussi. Le préféré de ma mère, celui en qui elle mettait tous ses espoirs, toute sa fierté. Un accident de voiture. Et tu sais ce qu'elle m'a dit quand elle me l'a appris ?

— ...

— Elle m'a dit : quel gâchis ! Il est parti, et toi tu restes...

Il écarte les mains en signe de constat d'échec. En signe de constat de grand malheur indélébile.

— C'est la vie ! comme vous dites, vous les Français. Je ne la changerai pas. Et c'est trop tard pour me changer...

Il commande des profiteroles au chocolat. Il n'est plus au régime.

Quatre jours que tu n'as pas donné signe de vie.

Je laisse un message sur ton répondeur. Je dis : « Hello, je suis là, tout va bien, tu me manques et c'est délicieux le manque quand on n'a plus peur. »

Le pigeon me tient compagnie. Il ne bouge pas. Je le surveille du coin de l'œil et m'inquiète pour lui. Quand il relève la tête, je le soutiens de mon regard attentif, puis il la repose, engourdi.

Je déjeune avec Anouchka. Elle porte une jupe et je le lui fais remarquer. Elle soupire et me dit qu'elle est obligée. Dans la nouvelle boîte où elle travaille, elle est chargée des relations avec les clients et son patron lui a demandé d'être féminine.

— Il m'énerve ! Il m'énerve ! Quand il s'adresse à moi, il demande : « Et qu'est-ce qu'elle en pense la ravissante Anouchka ? » Est-ce que je m'adresse à lui en disant : « Et le gros Robert avec son ventre en avant et ses narines pleines de poils, il est content ? » En plus, je suis sûre que je suis moins payée que mes collègues masculins qui font le même travail que moi... Je suis en train de mener moi aussi ma petite enquête et la ravissante Anouchka va se défendre, je te le promets ! Je pense que je n'aurais pas été engagée si j'avais eu son ventre et ses narines pleines de poils ! C'est humiliant, tout de même, c'est humiliant ! Toi, tu n'as pas ces problèmes, tu travailles dans ton coin, peinarde !

— Et avec ton fiancé ?

— Je crois que je suis trop en colère. Tout le temps. Je n'arrive pas à accepter... On va dire qu'il me supporte et que je me laisse apprivoiser. Il dit que j'exagère, que je dramatise, mais il n'est pas une femme, lui ! Quand je lui parle de mes subtils problèmes, il tombe du ciel ! Pourtant j'ai envie d'aimer, une terrible envie d'aimer !

276

Le garçon nous apporte la carte des desserts. On décline poliment et on commande deux cafés.

— J'ai pris deux kilos, je ne rentre plus dans mes vêtements, soupire Anouchka en lissant son ventre. C'est la dernière jupe qu'il me reste. Parce qu'il y a ça aussi : la tyrannie du poids ! Pourquoi fait-on tout ça ? Tu me trouves grosse, toi ?

Je fais non de la tête.

Une semaine que je n'ai pas de nouvelles.

Je commence à m'inquiéter.

Je laisse un nouveau message. « Houhou ! J'existe, ne m'oublie pas tout de même. Je pense à toi très fort, très, très fort. Tu me manques. »

Tu n'as pas essayé de me joindre. Je suis à la maison tout le temps. Je fais retraite et écris comme une acharnée. J'ai retrouvé mes mots et l'estime pour mes mots. J'écris ce livre comme s'il sortait de mes entrailles, qu'il se vidait sur la table. Toute mon enfance revient au galop. Tout mon silence de petite fille mal éclairée m'assourdit. Il ne faut pas se taire. C'est en se taisant qu'on devient victime.

J'écris pour ne plus me taire.

Je tends l'oreille vers le téléphone.

Je suis inquiète. Je ne voudrais pas non plus tomber dans des rapports de force. Le premier qui rappelle a perdu. Bisque-bisque-rage. Ça ne m'intéresse pas.

Je vérifie que la ligne n'est pas coupée. Je vérifie

que le répondeur marche. Je vérifie que je suis toujours belle dans la glace.

Je regarde le pigeon sur le toit ardoise. Il semble toujours blessé et se recroqueville en boule, la tête enfouie sous ses ailes.

Est-ce que ça dort, un pigeon ?

J'émiette du pain, un reste de viande.

Qu'est-ce que ça mange, un pigeon ?

Je mets un peu de lait dans une coupelle, sors par la fenêtre, rampe sur le toit en surveillant la pente et pose son repas sur la gouttière.

M'aplatis près de lui et l'observe.

Il est vraiment mité. Un pauvre pigeon en bout de course.

Il ne bouge pas. N'essaie pas de s'envoler. Cloué sur le toit pour cause de mauvaise grippe, de castagne ou de vieillesse.

Est-ce que ça a de la fièvre, un pigeon ?

Plus de nouvelles de ma mère.

Pas de nouvelles de mon frère.

Et la statue est toujours muette...

Le pigeon s'est redressé, ce matin. Je l'ai vu se traîner jusqu'à la coupelle de lait et y tremper le bec une fois, deux fois, trois fois. Puis il a picoré un morceau de mie de pain et est allé se blottir un peu plus loin, dans la gouttière. Le gris de son plumage se noie dans le gris des ardoises. Il porte une tenue de camouflage.

Il a frotté son œil contre son aile. Il a l'œil tout rouge et boursouflé.

Est-ce qu'on leur met des gouttes dans les yeux, aux pigeons ?

Je continue d'écrire. Du matin au soir. Et toute la nuit. En pyjama. Je mange ce qu'il reste dans le frigidaire, des vieux fromages, des yaourts, du tarama, du surimi. J'ai un gros tas de feuillets imprimés sur le bureau et je le regarde avec satisfaction. Je suis en train d'écrire notre histoire, notre belle histoire d'amour.

Je les lui offrirai quand on se retrouvera.

Cette trêve amoureuse m'aura, au moins, permis d'avancer dans mon livre. Si ça continue, s'il continue à ne pas donner signe de vie, j'aurai fini bientôt.

Je n'ose plus sortir de peur de manquer son appel.

Il me fait subir une épreuve. Il veut me montrer qu'il est le maître.

J'ai pourtant laissé deux messages. Deux messages de femme amoureuse et tendre.

Il a peut-être décidé de rappeler au troisième.

J'appellerai demain...

C'est Charlie qui me l'a annoncé.

Elle a pris des gants.

Elle n'aimait pas ce rôle de porteuse de mauvaises nouvelles.

Elle m'a dit :

— Je crois qu'il vaut mieux que tu saches : il est avec une autre.

D'abord, je n'ai pas compris.

Qui ça ? j'ai demandé. J'ai essayé de me souvenir du nom de son dernier coup de foudre. L'homme du Minnesota qui prenait des Boeing pour un oui, pour un non, pour venir l'embrasser à Paris, France.

— Mais c'était fini entre vous... C'est normal, non ?

— C'est pas ce que je voulais te dire... Ce n'est pas lui dont je parle. Lui, c'est fini, et il n'y a personne d'autre.

— C'est qui, alors ?

Je fais le tour de la bande des sorcières et je ne vois pas d'autre histoire d'amour à suivre. Charlie, Valérie, Anouchka, Christina... Simon ne l'a pas plantée là. C'est un cyclamen sédentaire.

Je ris à cette pensée. Si on ne peut plus faire confiance à un cyclamen ! Si même les cyclamens se mettent à être volages !

— Ne me rends pas les choses plus difficiles qu'elles ne sont, je t'en supplie ! dit Charlie en appuyant ses poings serrés droit sur la table. J'ai réfléchi avant de te parler, j'ai pris mon courage à deux mains ! Ce n'est pas facile, crois-moi.

Elle me regarde d'un air suppliant. Je comprends que c'est important. Je comprends qu'il s'est passé quelque chose de grave.

Je ne comprends pas de qui elle veut parler. Je cherche, je cherche.

— Je ne vois pas... Promis, juré !

— Bon... Alors je vais être plus explicite...

Elle a repris son souffle, m'a regardée avec tout l'amour qu'elle me porte, a mis tant de tendresse dans son regard, tant d'attention précautionneuse que, soudain, j'ai compris.

J'ai crié Non ! Très fort. Non ! Ce n'est pas possible ! Le coup était si violent que j'ai reculé sur ma chaise puis je suis retombée contre la table en formica du café. Le front sur la table. Atteinte en plein cœur. J'ai gémi non, non, non. Me suis redressée, ai serré ma tête entre mes mains, ai fermé les yeux pour ne plus rien voir, plus rien entendre.

Elle a pris ma main dans sa main et a continué à voix basse :

— ... Je faisais la queue au cinéma quand j'ai entendu, dans mon dos, une voix très forte, une voix d'homme autoritaire qui parlait du film que j'allais voir. Il l'avait déjà vu et y entraînait une fille. J'ai écouté ce que disait la voix de cet homme qui paraissait si sûr de lui, si érudit. Il dressait des parallèles avec des films américains, des films d'art et d'essai. Sa voix était envoûtante. J'ai imaginé à quoi ressemblait cet homme intriguant, et puis j'ai eu envie de le regarder. Alors je me suis retournée et je l'ai vu. Lui... Il était avec une fille blonde, toute jeune, qui portait des cheveux attachés en catogan. Il la tenait par le cou et, quand je me suis retournée, il ne m'a pas vue parce qu'il l'embrassait...

— Sur la bouche ?

— Sur la bouche. Ce n'était ni sa sœur ni une vieille copine, je te promets. Je me suis détournée, très vite. Il ne m'a pas reconnue. Après tout, on ne s'est croisés qu'une fois, chez toi, et c'était si rapide. Il ne pouvait pas se souvenir de moi mais moi je me souvenais. Tu penses que je l'avais photographié !

— T'es sûre ? je répète plusieurs fois, hébétée.

— Absolument sûre... Je les ai laissés passer devant, je suis allée m'asseoir derrière eux et je les ai espionnés pendant tout le film. Ne me demande pas ce que j'ai retenu du film : rien du tout. Il lui parlait, il l'embrassait, il lui mangeait la bouche et elle se coulait contre lui. Elle avait l'air très amoureuse...

— Qui ne serait pas amoureuse d'un homme qui veut tout vous offrir ? Tout vous donner ? Qui vous considère comme la huitième merveille du monde ? Elle va tomber comme moi...

— Ça va ? m'a demandé Charlie. Tu vas te remettre ?

J'ai dit oui de la tête. Pour la rassurer.

Ça n'allait pas du tout.

Je suis rentrée chez moi et j'ai fait comme le pigeon.

Je me suis roulée en boule et j'ai attendu que le mal passe.

Est-ce que ça guérit, un humain en mal d'amour ?

Je me suis souvenue de tout. J'ai repassé mille fois le film de notre histoire. Je me suis souvenue que je me demandais toujours pourquoi, pourquoi nous nous étions embrasés si fort, quelle était l'origine de notre passion. Car de cette réponse dépendait l'avenir de notre amour...

Je voulais savoir. C'était très important.

Pourquoi avions-nous éprouvé cette faim de l'autre si violente au premier regard, aux premiers mots échangés dans une fête banale, si banale, dans une réunion de gens pressés, indifférents ?

On s'était reconnus...

Mais on avait reconnu quoi ?

Aujourd'hui, j'avais la réponse. Dans une histoire d'amour, on n'est jamais deux face à face, jamais isolés dans un imaginaire libre et généreux. On est tous les autres et toutes les autres qui ont aimé avant nous. Une longue chaîne de forçats menaçants qui nous tirent en arrière et nous lestent de leurs vieux conflits, leurs vieilles fripes, leurs masques grimaçants, leurs cœurs dévastés, impuissants. Nos mères et nos pères, nos grand-mères et nos grands-pères, nos arrière-grand-mères et nos arrière-grands-pères. Ainsi de suite...

On porte, sans le savoir, leurs peurs et leurs angoisses, leurs rancœurs et leurs haines, leurs élans brisés et leurs blessures ouvertes, leurs espoirs déçus et cette scie meurtrière : on ne m'y reprendra jamais plus, jamais plus, jamais plus. Comme si l'amour n'était qu'une guerre en plus, un règlement de comptes impitoyable, une histoire de succession jamais fermée. Tous ceux qui murmurent à nos oreilles sans qu'on les entende : « J'étais là avant » nous bousculent, s'installent dans nos vies, y déroulent leurs histoires et nous bouchent nos plus beaux horizons.

On aime comme nos mères nous ont aimés.

On porte nos mères sur le dos. Notre manque de mère ou notre trop-plein de mère.

Moi, j'avais un mal fou à accepter ou à recevoir l'amour parce que, de l'amour, j'ignorais tout. Il m'a fallu tout apprendre comme on apprend à marcher, à écrire, à lire, à nager, à manger avec un couteau et une fourchette, à faire du vélo... et il s'était chargé de mon éducation. Patiemment, amoureusement. Comme une mère penchée sur les devoirs de son enfant, accordant des compliments, grognant des encouragements ou épinglant des faiblesses.

Lui, au contraire, avait été envahi d'amour, cerné d'amour, asphyxié d'amour. Nié d'amour. Ecrasé par une image parfaite à atteindre qu'elle brandissait devant lui comme un sucre à un chien.

On porte chacun sa mère en soi. Nos mères s'incrustent en nous et on doit s'en débarrasser, sinon on finit en meurtrier. Tu me tues d'amour, je te tue de non-amour...

Je n'étais rien pour lui. Il ne le savait pas mais je ne comptais pas. Ce n'était pas moi qu'il aimait. Il imaginait une femme idéale, n'importe quelle femme qu'il pouvait façonner. Comme sa mère l'avait façonné. Sans le regarder. En hommage à elle.

Il m'avait prise en main, m'avait dirigée, m'avait donné beaucoup mais ne m'avait jamais vue, jamais écoutée. Il avait fait de moi sa créature comme elle avait fait de lui sa créature.

Et quand je regimbais, il disait autoritaire « tss...tss... » et m'ordonnait de me taire, de l'écouter, de lui obéir. « Je suis comme ça et c'est à prendre ou à laisser », disait-il, péremptoire.

Et moi qui avais tant besoin d'un regard posé sur moi, je m'étais laissé faire.

Emerveillée...

Ce n'est pas ça, l'amour.

L'amour c'est quand l'autre vous regarde, pose son regard sur vous et voit, au fond, des pépites que vous ignorez, les exhume et vous les apporte. Pour vous enrichir, vous agrandir, vous rendre libre. Le regard d'amour qui fait de vous une autre, vous donne de grands espaces où galoper ivre de bonheur et de fierté. Je suis moi et je suis quelqu'un de formidable parfois, de moins formidable d'autres fois.

Nos regards aveugles s'étaient croisés en un éblouissement meurtrier.

Le pigeon s'était requinqué. Il se dandinait sur le bord de la gouttière comme sur la piste d'une guinguette. Il se lissait les plumes avec soin. Quand les pigeons se graissent les plumes, disait ma grand-mère, c'est signe qu'il va pleuvoir. Ils se graissent les plumes pour que l'eau coule sur eux sans les mouiller.

Je l'observais, roulée en boule sur mon lit. Je pensais à notre belle histoire d'amour. A ma mère, à sa mère, à nous.

Est-ce que ça a un papa, une maman, une grand-mère, un pigeon ?

Il tentait ses premiers pas, maladroit, écartait ses ailes, les repliait. Il ouvrait grand son œil rougi et on aurait dit un petit marquis poudré et précieux. Il avançait sur le bord de la gouttière, étonné d'être toujours en vie.

Il avait fini ses gamelles.

Je lui en ai préparé des nouvelles.

Pour qu'il prenne des forces avant de partir. Avant de s'envoler refaire sa vie, sa vie de pigeon coriace.

C'est ça l'amour, je me suis dit en ouvrant la fenêtre et en tendant mon visage au soleil. C'est donner des forces à l'autre pour qu'il se sente libre et sûr de lui.

Mon premier amour était un pigeon, un pigeon de Paris, sale et gris, tenace et pugnace.

*La composition de cet ouvrage
a été réalisée par Nord Compo,
l'impression et le brochage ont été effectués
sur presse Cameron dans les ateliers
de **Bussière Camedan Imprimeries**
à Saint-Amand-Montrond (Cher),
pour le compte des Éditions Albin Michel.*

*Achevé d'imprimer en mars 1999.
N° d'édition : 18104. N° d'impression : 991200/4.
Dépôt légal : avril 1999.*